CB032382

CLAUDIA SILVA JACOBS E FERNANDO DUART

FU
TE
BOL
EX
POR
TA
ÇÃO

SENAC RIO

PRESIDENTE DO CONSELHO REGIONAL
Orlando Diniz

DIRETOR REGIONAL
Décio Zanirato Junior

EDITORA SENAC RIO
Avenida Franklin Roosevelt, 126/604
Centro – Rio de Janeiro – RJ – CEP: 20.021-120
Tel.: (21) 2240-2045 – Fax: (21) 2240-9656
www.rj.senac.br/editora
comercial.editora@rj.senac.br

EDITORA
Andréa Fraga d'Egmont

EDITORIAL
Cynthia Azevedo (coordenadora)
Cristiane Pacanowski
e Flávia Marinho

PRODUÇÃO
Andrea Ayer, Karine Fajardo
e Márcia Maia

COMERCIAL SP E OUTROS ESTADOS
Roberto Combochi (coordenador)
Abel Pinheiro, Alexandre Martins,
Allan Narciso, Jorge Barbosa,
Leandro Pereira e Marjory Lima

COMERCIAL RJ, MARKETING
& EVENTOS
Adriana Rocha (coordenadora)
Joana Freire e Flávia Cabral

ADMINISTRATIVO & FINANCEIRO
José Carlos Fernandes
(coordenador)
Aline Costa, Michelle Narciso
e Rodrigo Santos

COPIDESQUE
Cynthia Azevedo e Marly Cardoso

REVISÃO
Cristiane Pacanowski e Karine Fajardo

PROJETO GRÁFICO
LSD – Luiz Stein

EDITORAÇÃO ELETRÔNICA
ô de casa

1a edição: dezembro de 2006

CIP-BRASIL. CATALOGAÇÃO-NA-FONTE.
SINDICATO NACIONAL DOS EDITORES DE LIVROS, RJ.

J18f

Jacobs, Claudia Silva, 1966–
Futebol exportação
/ Claudia Silva Jacobs ; Fernando Duarte. – Rio de Janeiro:
Editora Senac Rio, 2006.
128 p.
16 x 23 cm

Inclui bibliografia
ISBN: 85-7756-001-5

1. Futebol – Aspectos econômicos. 2. Futebol – Brasil
– Comercialização. 2. Futebol – Administração. 3. Jogadores
de futebol – Brasil – Transferências.
I. Duarte, Fernando, 1973–. II. Título.

06-3574. CDD 338.477963340981
CDU 338.46:796.332 (81)

Para Paul, que teve muito carinho e paciência durante quase um ano de trabalho. Para Joaquim e Francisco, meus futuros craques. Para Patrícia, que me deu apoio em todos os momentos.

Claudia Silva Jacobs

Para minha mãe, dona Yane, cujo apoio sempre foi, é e será fundamental. Para meu pai, seu Marcos, pelas tardes no Maracanã, as horas de conversa sobre ídolos passados e as coleções de revistas esportivas que tanto vasculhei. Para Fleur, minha eterna companheira.

Fernando Duarte

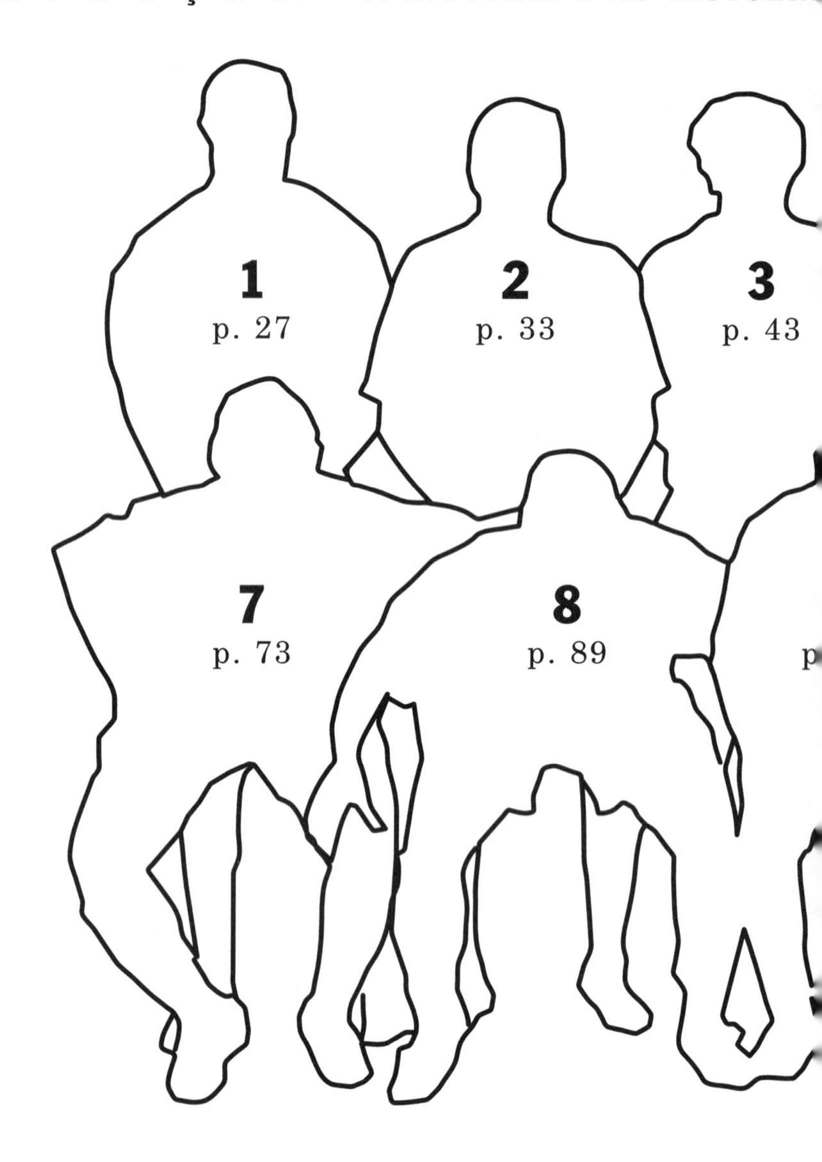
1
p. 27
2
p. 33
3
p. 43
7
p. 73
8
p. 89

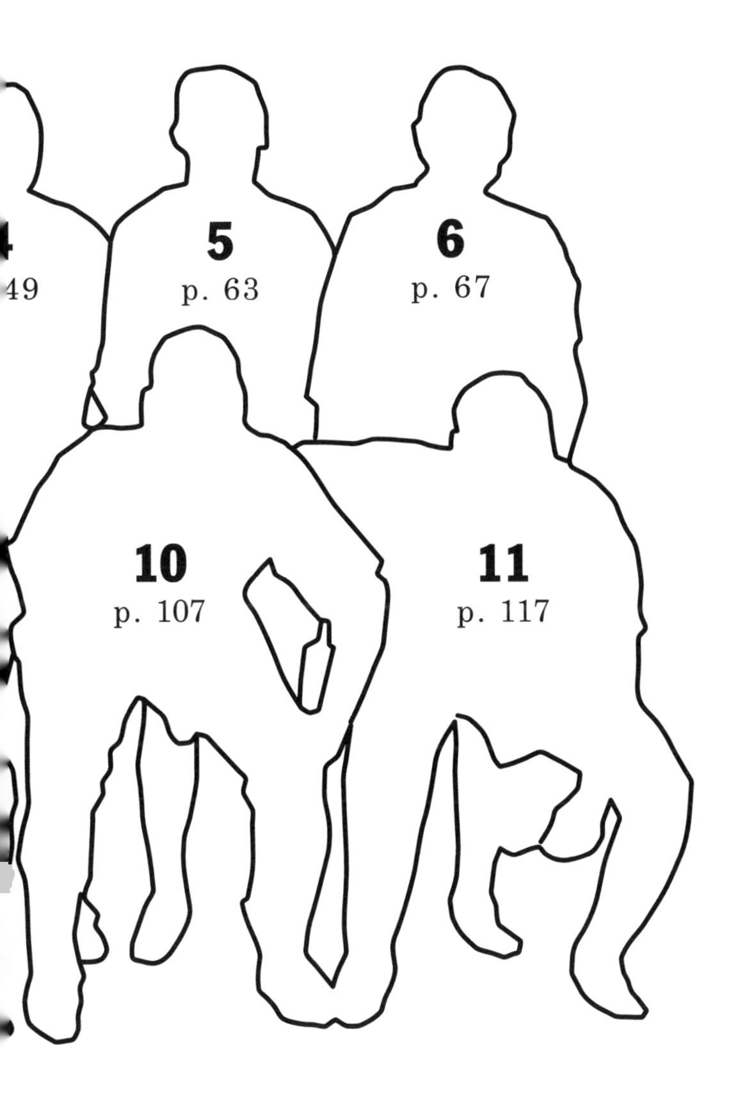
49
5
p. 63
6
p. 67
10
p. 107
11
p. 117

APRESENTAÇÃO

Houve uma época em que o sonho de todo menino pobre (e também de muitos bem-nascidos) era se tornar jogador de futebol, vestir a camisa de um grande clube (brasileiro) e chegar à seleção. De uns tempos para cá, a fantasia evoluiu. Jogar futebol continua a ser uma das poucas formas de ascensão social neste nosso país cruelmente marcado pela desigualdade social e pela miséria. Mas para chegar rapidamente à fama e à fortuna surgiu, nos dias de hoje, um atalho que passou a ser trilhado por praticamente todos os jogadores de razoável talento (e não apenas os craques, como antigamente).

O resultado disso é um Campeonato Brasileiro cada vez mais disputado por atletas de "fraldas" ou "bengalas". Nossos principais clubes são formados agora por jovens inexperientes e imberbes (que, tão logo conseguem projeção, são vendidos para o exterior) ou veteranos enfastiados e claudicantes (que, após longas temporadas em clubes estrangeiros, retornam em melancólico final de carreira para o Brasil). Triste destino de um país pentacampeão mundial, mas de economia pobre, num mercado altamente globalizado. Mas isso já é uma outra história.

A deste livro, talentosamente escrito por Claudia Silva Jacobs e Fernando Duarte, conta a saga desses brasileiros que deixaram o país em busca da fama e da fortuna fácil, no exterior. Fácil? Nem tanto, como mostram os autores, eles mesmos intrépidos brasileiros expatriados. Certo dia, Fernando me procurou na redação do jornal O Globo (por onde Claudia também já havia passado, sempre com o conhecido entusiasmo) para dizer que "estava indo"...

– Indo pra onde? – perguntei, já sabendo de sua inquietação profissional, que em ocasião anterior já o fizera me procurar para um (merecido) "empurrão" rumo à carreira de jornalista esportivo.

– Para a Inglaterra! – foi a resposta resoluta. Vou estudar administração esportiva, depois ficar um pouco por lá pra ver no que dá...

Deu, entre outras coisas (como uma bem-sucedida carreira de correspondente internacional no próprio O Globo), neste livro, escrito em tabelinha com Claudia e que recomendo com o mesmo entusiasmo com que os dois jornalistas sempre se atiraram em suas reportagens e grandes coberturas, mundo afora, como Olimpíadas e Copas do Mundo.

Através deste trabalho, pode-se conhecer um pouco mais dessa odisséia (nem sempre gloriosa) de nossos jogadores pelos quatro cantos. Um sonho sempre grandioso, mas que, muitas vezes, se torna pesadelo. Vale a pena conferir.

Renato Maurício Prado

A HISTÓRIA E AS HISTÓRIAS DO ÊXODO DOS JOGADORES BRASILEIROS PARA O EXTERIOR

Só mesmo contusões ou o surgimento tardio de uma revelação dos gramados evitarão que, na Copa do Mundo de 2010, a seleção brasileira de futebol viaje para a África do Sul com uma delegação formada apenas por atletas baseados em clubes do exterior, sejam eles reservas ou titulares. Longe de precoce, a previsão apenas leva em conta o fato de que nunca o Brasil exportou tantos jogadores e que a demanda das equipes internacionais pelo profissional verde-e-amarelo cresce a ponto de o jogador ser negociado antes de sequer ter-se destacado em competições nacionais e sul-americanas. Motivo que, até pouco tempo atrás, era considerado fundamental na valorização do atleta.

Os sinais do domínio absoluto dos chamados "estrangeiros" já estão claros até mesmo em 2006. Na Copa do Mundo da Alemanha, a equipe titular ideal de Carlos Alberto Parreira não deixou espaço para jogadores baseados no Brasil, algo que nunca havia ocorrido nas 17 participações anteriores do país em mundiais e só registrado pela primeira vez durante as Eliminatórias de 2005. Mesmo em amistosos, a presença de atletas ainda jogando no Brasil tem-se tornado cada vez mais rara. No amistoso da seleção contra a Rússia, disputado em pleno inverno de Moscou, em março de 2006, apenas três dos 22 convocados ainda podiam ser vistos jogando no Brasil.

E são justamente os torcedores que sofrem com o caráter cada vez mais exportador do principal esporte brasileiro. Seus ídolos só vão passar pelos Maracanãs, Pacaembus ou Mineirões da vida um punhado de vezes. Nos tempos do futebol-negócio, os clubes levaram a melhor na queda de braço com as confederações e, desde 2003, seleções que dependam de um grande número de atletas baseados no exterior, como a brasileira, não podem mais marcar amistosos fora da Europa, onde atua a maioria dos jogadores expatriados presentes em listas de convocações. O tal escrete canarinho fica visível quase exclusivamente pela TV, fazendo com que a alcunha de torcedor de sofá passe de gozação a um sinal dos tempos em que vivemos.

E pensar que, não faz muitas décadas, a decisão de tomar o rumo do aeroporto, salvo em férias ou viagens com clubes e a seleção, era encarada como pecado capital por público e mídia.

Basta lembrar a multidão de torcedores que se aglomerou em volta da Gávea para protestar contra a negociação de Zico com o Udinese, em 1983. Aos olhos do público, a transferência para um medíocre clube italiano, do qual pouquíssima gente no Brasil sequer ouvira falar, soava muito mais como interesse financeiro do que desafio profissional. Mas a opção pelo trabalho em gramados estrangeiros é quase tão antiga quanto o profissionalismo do futebol brasileiro: já na década de 1930, antes mesmo da profissionalização do esporte no país, jogadores já acertavam transferências. Fausto e Jaguaré, que disputaram a Copa do Mundo do Uruguai, foram parar na Espanha, ainda que sem muito sucesso. Já o paulista Anfilógino Guarisi, o Filó, não apenas se transferiu para o futebol italiano, como se aproveitou da ascendência italiana para conseguir cidadania e participar da conquista da Copa do Mundo de 1934, tornando-se o primeiro brasileiro campeão do mundo, 24 anos antes de Bellini levantar a Taça Jules Rimet em Estocolmo, na Suécia.

Filó também foi pioneiro de uma tendência que voltou a ganhar força nos últimos anos: ter jogadores brasileiros vestindo a camisa de outras seleções. No Mundial de 2006, por exemplo, havia brasileiros naturalizados atuando pelas equipes de Espanha, Portugal, Tunísia, Japão e México – um recorde. E um desdobramento de uma característica marcante da fase atual do êxodo de atletas: o grande número de profissionais que fazem as malas não é composto apenas por craques ou jogadores famosos, mas por uma infinidade de boleiros que não hesitam em procurar pontos e praças menos concorridas do mapa-múndi da bola em troca de pagamentos em moeda forte e recebidos em dia – um luxo que colegas mais famosos, porém baseados no Brasil, às vezes, não conseguem usufruir.

A demanda pelo talento brasileiro e a decadência administrativa e econômica do futebol verde-e-amarelo são uma combinação determinante para o impressionante salto nos números das exportações de jogadores. De acordo com as estatísticas oficiais da Confederação Brasileira de Futebol (CBF), o fluxo de atletas para o exterior cresceu assustadores 392% entre 1992 e 2005. O mais recente levantamento mostra que 804 jogadores deixaram o país em 2005, e 857, em 2004. Mercados como Alemanha, Itália, Espanha e Portugal continuam clientes fiéis do produto verde-e-amarelo – a outrora matriz importou 138 atletas em 2005 –, mas os brasileiros estão marcando presença nos quatro cantos do mundo, muitas vezes em paragens anteriormente imagináveis apenas em piadas ou desaforos de torcedores. Sugerir que tal jogador deveria tentar a sorte em algum país da África ou da Ásia pode acabar virando uma dica de movimento de carreira aceita de bom grado.

Afinal, 289 das 804 transferências registradas em 2005 foram para países exóticos em termos futebolísticos ou sem tanta tradição de receber brasileiros. Só o Vietnã, naquele ano, figurou como o destino de 30 atletas, a Indonésia recebeu 13 e até a Moldávia, obscura ex-república soviética, ganhou 4. Diante do fato de que os clubes desses países certamente não se comparam em termos de poder de fogo financeiro às equipes européias ou japonesas, o surgimento de destinos poucos tradicionais para atletas brasileiros dá margem ao argumento de que o êxodo de jogadores passou a exibir características de uma migração puramente movida por motivos de subsistência, não muito diferente das hordas de cidadãos brasileiros espalhados pelo mundo.

Mesmo quem toma o rumo da Europa já não o faz com grandes ilusões, como a de chegar a clubes de ponta do continente e disputar torneios do porte da Liga dos Campeões da União das Associações Européias de Futebol (Uefa), ou a de abrir caminho para chegar à seleção ao mesmo tempo em que garante a independência financeira. A isca é a perspectiva de salários um pouco melhores do que os disponíveis no Brasil, além da esperança de receber em dia. Principalmente porque a estrutura financeira do futebol brasileiro reserva o *glamour* para uma minoria: de acordo com as estatísticas oficiais mais recentes, baseadas nos registros de 2002 da CBF, 82,41% dos pouco mais de 19 mil atletas profissionais brasileiros atuando no país não ganhavam mais do que dois salários mínimos por mês e apenas 3,57% contavam com uma renda mais avantajada de vinte salários mínimos.

SAÍDAS DE JOGADORES – 1992–2005

1992	235	1999	658
1993	322	2000	701
1994	207	2001	736
1995	254	2002	665
1996	381	2003	858
1997	556	2004	857
1998	532	2005	804

Fonte: CBF/Folha de S. Paulo

E a falta de sincronização entre o calendário brasileiro e o europeu faz com que seja cada vez mais comum ver jogadores fazendo as malas com o Campeonato Brasileiro ainda em andamento. Em 2005, nos dois períodos autorizados pela CBF para transferências internacionais (de 2 de janeiro a 20 de fevereiro e de 1º a 31 de julho), 463 jogadores – uma média de sete atletas por dia – deixaram o Brasil. Duro golpe na já limitada capacidade de planejamento dos clubes – antes acostumados a ver seus times desmontados no final de competições, não durante – e um convite para o debate sobre como lidar com uma situação que não se sabe ao certo se os principais interessados gostariam de tentar ao menos conter. A venda de jogadores para o exterior é uma fonte de renda preciosa e o Banco Central estima que as transferências de brasileiros geraram US$ 1 bilhão em receitas entre 1994 e 2005.

Aparentemente, muita gente tem a ganhar. Para os clubes, a venda de atletas é uma forma de fazer caixa a curto prazo para o jogo de malabarismo de finanças do dia-a-dia ou para bancar investimentos a longo prazo, ainda que pouquíssimas agremiações brasileiras optem pela última alternativa. Atletas, sobretudo os que estão longe do cada vez mais seleto clube de colegas de profissão com remuneração avantajada, têm a chance de construir um patrimônio que o futebol brasileiro dificilmente permitiria. A situação não é diferente para a CBF, ainda que a entidade esteja em meio a um intrincado dilema: de um lado, o enfraquecimento técnico e comercial dos clubes e do Campeonato Brasileiro; do outro, os benefícios trazidos pela presença de nossos principais jogadores em equipes européias com estrutura não raramente superior à das brasileiras em diversos aspectos.

Kaká é um exemplo desse argumento. Por mais promissor que fosse seu talento nos anos que passou nas divisões de base e nos oito meses de time principal do São Paulo, a ida do meia para o Milan, em 2003, aos 23 anos de idade, certamente teve seu papel na ascensão meteórica do jogador na seleção. De mero aprendiz na equipe que conquistou o pentacampeonato mundial no Japão e na Coréia do Sul (esteve apenas por 23 minutos em campo na vitória por 5 a 2 sobre a Costa Rica, num jogo da primeira fase, em que o Brasil praticamente já havia garantido a liderança de seu grupo), Kaká tornou-se uma das peças-chave do chamado "quadrado mágico" utilizado pela seleção brasileira para superar as defesas adversárias.

O meia demorou pouco tempo para tornar-se titular do time e, por maior que fosse seu potencial, seria inocente menosprezar o fato de que, no Milan, Kaká está semanalmente sendo testado em competições de alto nível como o Campeonato Italiano e a Liga dos Campeões da Uefa, não apenas medindo forças com muitos dos jogadores que são adversários em potencial em partidas de seleções, mas também recebendo *in loco* uma aula sobre o funcionamento tático do futebol europeu, cujas seleções são maioria na Copa do Mundo.

O argumento encontra o respaldo de ninguém menos que o ex-técnico da seleção brasileira, Carlos Alberto Parreira, para quem a tendência de a seleção tornar-se cada vez mais dominada pelos "estrangeiros" é tão natural quanto benéfica para a equipe. No entanto, Parreira não morre de amores pelo êxodo de atletas e, durante o 1º Fórum Internacional de Marketing Esportivo, realizado no Rio de Janeiro, em novembro de 2004, previu um Campeonato Brasileiro que, num futuro próximo, seria praticamente uma vitrine para jogadores jovens, por causa da diminuição cada vez maior da faixa etária dos atletas levados pelas equipes estrangeiras. Essa, por sinal, é outra característica marcante do êxodo verde-e-amarelo a partir da segunda metade dos anos 1990: profissionais mais experientes foram deixando de ser maioria em meio aos expatriados.

Em 1980, quando saiu do Brasil aos 26 anos para reforçar o Roma, Falcão tinha três títulos brasileiros e 16 anos de serviços prestados ao Internacional de Porto Alegre. Três anos depois, Zico, aos 30 anos e com um currículo de três Campeonatos Brasileiros, uma penca de títulos cariocas, uma Libertadores e um Mundial Interclubes, tomou o rumo da Itália. Em 1988, Romário foi vendido ao PSV Eindhoven, da Holanda, depois de apenas três anos no time principal do Vasco e aos 23 anos de idade. Ronaldo até tinha sido parte do elenco brasileiro na Copa do Mundo dos Estados Unidos (EUA), em 1994, antes de trocar o Cruzeiro pelo PSV Eindhoven, naquele mesmo ano, mas mal tinha chegado aos 18 anos. Em 2000, a transferência do atacante Adriano do Flamengo para a Internazionale de Milão aos 18 anos, com menos de uma temporada na equipe profissional do Flamengo, como moeda de troca para o repatriamento do meia Vampeta, marcou uma mudança de mentalidade tanto dos dirigentes brasileiros como dos europeus.

POR QUE O JOGADOR BRASILEIRO É TÃO INTERESSANTE

A década de 1990 foi simbólica para a transformação do futebol de esporte em um negócio multimilionário. Por força do planejamento comercial levado a cabo pela Federação Internacional de Futebol (Fifa) nos vinte anos sob o comando de João Havelange, a Copa do Mundo deixou de ser uma mera competição esportiva entre países para transformar-se numa imensa arena de negócios, impulsionada também por uma popularização sem precedentes do futebol, esporte que acadêmicos não raramente classificam como uma modalidade que perde apenas para o atletismo na disputa pelo título de atividade esportiva mais democrática. Um produto vorazmente consumido em regiões e locais tão variados e cujo alcance só aumentou com o desenvolvimento tecnológico dos meios de comunicação. Em especial a televisão, para quem o jogo transformou-se num trunfo indispensável para a luta por audiência, sobretudo no caso dos serviços de TV por assinatura. Um exemplo claro foi a decisão dos principais clubes ingleses de, em 1992, romper com a Football League, entidade que organizava os campeonatos das quatro divisões profissionais do país, e criar um torneio à parte, no qual vinte clubes monopolizariam as receitas da venda dos direitos de transmissão das partidas para a emissora britânica Sky, esnobando o modelo anterior, por meio do qual o bolo era dividido entre as 92 equipes da primeira à quarta divisão. O canto da sereia foi um polpudo cheque de mais de US$ 400 bilhões. O contrato atual tem valores de cerca de US$ 1,8 bilhão.

Obviamente, os méritos nem de longe são exclusivos da cartolagem ou de homens de negócios. O motivo principal pelo qual bilhões de pessoas vão aos estádios, ou mesmo acompanham o comentário on-line de partidas de futebol, é a existência de heróis e vilões que, durante noventa minutos, não somente reproduzem nos gramados do mundo a imprevisibilidade da vida e o caráter tão falível do ser humano, como também proporcionam o entretenimento tão necessário como distração para a rotina de cada torcedor ou mero apreciador do futebol. Historicamente, alguns dos mais amados artistas do espetáculo foram, têm sido e são brasileiros, não somente em conseqüência dos cinco títulos mundiais.

Gerações que fracassaram em Mundiais, como a de 1982, são mencionadas por fãs internacionais e, não por acaso, uma viagem de Sócrates à Inglaterra, em 2004, provocou um furor na mídia e no então mais rico clube do mundo, o Manchester United, no qual uma sessão de treinos foi interrompida e os jogadores ficaram enfileirados para cumprimentar o meia brasileiro.

De Leônidas da Silva, destaque da seleção brasileira que chegou muito perto da final da Copa do Mundo de 1938, a Ronaldo e seus oito gols no Mundial de 2002, o jogador de futebol tornou-se uma referência imediata ao Brasil. E não apenas a cada quatro anos, já que os avanços tecnológicos nas comunicações transformaram o esporte num produto de apelo global mesmo em casos regionais – as ligas européias têm seus jogos transmitidos para quase duzentos países. E a Internet tornou possível que imagens e lances de partidas de campeonatos regionais brasileiros corram o mundo – uma vitrine que também expõe mazelas, pois é fácil encontrar casos de agressões a juízes, carrinhos violentos e brigas em campo.

A associação imediata à qualidade também se faz presente para clubes e dirigentes estrangeiros, ainda mais por conta de um outro fator fundamental para a valorização do jogador brasileiro: o atleta verde-e-amarelo é mão-de-obra tão mais qualificada quanto mais barata em comparação com o seu similar nacional – investir na formação de jogadores locais terá preço e risco maiores, o que explica por que hoje várias equipes européias são dominadas por estrangeiros mais jovens. O mesmo argumento aplica-se aos atletas de vizinhos sul-americanos, como a Argentina, e cada vez mais aos países africanos, cujo êxodo para o Velho Mundo formalizou-se nos últimos anos – diversos clubes europeus mantêm esquemas de parceria com equipes africanas para a obtenção de jogadores, com destaque para a França, porto predileto daqueles oriundos de suas ex-colônias. A demanda dos franceses se fez presente até na seleção: o time que massacrou o Brasil na final do Mundial de 1998 estava recheado de jogadores descendentes diretos de imigrantes e que poderiam muito bem ter optado pelos países de seus ancestrais, como fazem alguns brasileiros. A Argélia perdeu a chance de ter Zinedine Zidane em seu meio-de-campo, embora seja difícil imaginar que Youri Djorkaeff jurasse lealdade à equipe nacional da Armênia.

Por trás dessa abertura está também a revolução provocada pela Lei Bosman – mais especificamente a decisão da Corte Européia dos Direitos Humanos que, em 1996, determinou, entre outras coisas, o direito de livre trânsito de jogadores dos 15 países integrantes da União Européia (UE), abrindo mais espaço para os estrangeiros, especialmente os habilitados a obter dupla nacionalidade. Até porque, em 2004, outras dez nações juntaram-se à UE, o que representou uma tentadora oportunidade para a turma do Terceiro Mundo na Europa Oriental. As atenções têm-se voltado para jovens jogadores, pois o aumento da competição entre os clubes na busca por talentos forçou os olheiros a ficar atentos para oportunidades mais potenciais do que comprovadas de reforços.

Afinal, jogadores brasileiros, mesmo que com uma fama justificada apenas em termos nacionais, já estão mais valorizados no mercado porque vão interessar a mais clubes, o que resulta em inflação no preço de transferências. Sem falar que os cartolas brasileiros, bem como os empresários de jogadores, não demoraram tanto para perceber as chances de barganha. O atacante Robinho foi praticamente leiloado para compradores interessados e poderia muito bem ter parado na Holanda, em Portugal ou Inglaterra antes de desembarcar na Espanha para reforçar o Real Madrid. Custou US$ 50 milhões, mais do que os

US$ 46 milhões pagos pelo clube espanhol para tirar Ronaldo do Internazionale, em 2002. Uma bolada superior também ao valor somado das transferências para a Europa de Zico, Falcão, Careca, Romário e Toninho Cerezo.

O exemplo de Robinho explica a demanda por jogadores mais jovens tanto quanto o interesse pela turma que normalmente não seria vista com a camisa canarinho. Ainda mais para os clubes cujo poder financeiro não se compara ao dos gigantes europeus ou os que sofram com a escassez de talento em seus mercados locais. A Bélgica entrou na berlinda com as denúncias de uma Conexão Maranhão, em que jovens jogadores eram importados quase às escondidas com a ajuda de empresários mais preocupados com os lucros das transações do que com o bem-estar de seus atletas. E, em 2005, uma reportagem publicada pelo tablóide sensacionalista inglês Daily Mirror mostrou que os clubes ricos da Europa estariam dispostos a fuçar ainda mais fundo no celeiro de talentos verde-e-amarelos, como já fazem um pouco na África: segundo o jornal, o todo-poderoso Manchester United, uma das associações esportivas mais lucrativas do planeta, manifestara interesse em garantir os futuros serviços de Jean Carlos Chera, um garoto paranaense de apenas dez anos de idade, mas que já conta com um esquema promocional eficaz o suficiente para que comentários sobre seus vídeos com embaixadinhas e dribles estejam espalhados por sites de notícias e listas de discussão na Internet.

De acordo com profissionais ligados a programas de desenvolvimento de novos talentos no Reino Unido, a demanda pela turma mirim deverá tornar-se uma realidade por conta da tendência à regulamentação mais rígida de transferências nas categorias de base – na Inglaterra já é proibido que menores de 15 anos se juntem a times localizados a mais de 150 quilômetros de onde moram para evitar que equipes poderosas como o Manchester United simplesmente usem a pressão financeira para atrair talentos dos quatro cantos do país.

– Wayne Rooney, o maior jovem talento inglês do momento, tinha apenas 18 anos quando foi vendido pelo Everton ao Manchester United por mais de US$ 50 milhões. Todo mundo na Inglaterra quer agora descobrir um novo garoto de ouro; e a legislação está fazendo com que os clubes olhem cada vez mais para o exterior. Os clubes querem ter direitos ao passe da turma, antevendo uma valorização futura, e não ficarei surpreso se outros meninos aparecerem nas páginas dos tablóides – explica Armand Walls, que trabalha como olheiro para equipes inglesas da segunda e terceira divisões.

Garantir a prioridade numa negociação com um jovem talento pode representar uma economia de milhões para o clube interessado. Esquemas do gênero já existem há anos na Europa, sobretudo em relacionamentos com o futebol africano – um exemplo é o Ajax, da Holanda, que faz acordos com pequenas equipes do continente e tem a primeira opção de compra de jogadores que despontem em suas categorias de base. No entanto, o interesse pelo atleta do Brasil tem pitadas de marketing. Ter um brasileiro na equipe indica uma ferramenta promocional, ainda que de uma maneira não tão direta como a da importação de atletas asiáticos por clubes europeus, mais relacionada a afagos em patrocinadores e a atração do interesse de um imenso público em potencial, seja *in loco* ou a distância.

É preciso ainda notar que essa ampliação de oportunidades para brasileiros mostra-se democrática no que diz respeito às posições. Entre as centenas de jogadores que deixam o país a cada temporada, há mais do que atacantes e meias ofensivos. Ficou cada vez mais comum para o Brasil exportar zagueiros, laterais e goleiros. Esta última posição ainda pode ser uma minoria em termos de interesse internacional, porém, em pouco mais de uma década, conquistou um espaço respeitável na Europa. Em 1988, Carlos Roberto Gallo, ex-jogador da Ponte Preta e do Corinthians, tornou-se um dos primeiros goleiros brasileiros a jogar no exterior, ainda assim na Turquia. Quinze anos depois, Dida seria o herói da conquista da Liga dos Campeões pelo Milan, defendendo dois pênaltis na final contra o arqui-rival Juventus. E três dos cinco goleiros regularmente convocados pelo então técnico Carlos Alberto Parreira nos últimos tempos estavam baseados na Europa. Dida (Milan), Júlio César (Internazionale) e Gomes (PSV). Onde não há goleiros brasileiros, não raramente surgem casos de zagas predominantemente verde-e-amarelas, com no Lyon (França), em que Cláudio Caçapa e Cris são parte da espinha dorsal de um time pentacampeão nacional. O resultado foi a formação de um contingente de brasileiros que hoje responde não apenas pelo maior número mundial de exportações por país, como também representa uma parcela significativa da força de trabalho da elite do futebol. Tome-se a Liga dos Campeões da Uefa como exemplo. A edição de 2005/06 da mais importante competição interclubes do mundo contou com 71 brasileiros em 24 dos 36 clubes que participaram do torneio, número inferior somente ao de espanhóis e franceses e quase três vezes maior do que o de argentinos (25), outra nacionalidade também bastante popular no futebol mundial.

Se há quem viaje para os confins do mundo, jogar nas divisões inferiores das praças mais famosas certamente não é problema para os atletas. Que o diga o zagueiro Márcio Gaia. Nos últimos quatro anos, o capixaba foi uma das atrações do Exeter City, time que disputa o equivalente à série E do Campeonato Inglês. Atualmente, joga pelo Stevenage, outra pequena equipe da divisão da série E.

Gaia também serve como um exemplo perfeito da turma que já não precisa de muitas promessas para tomar o rumo do aeroporto. Ronaldos e Robinhos fazem fortunas em salários e contratos com patrocinadores, mas profissionais como Gaia estarão numa situação não tão privilegiada mesmo nos tempos em que o volume de dinheiro movimentado anualmente provoca enxaquecas nos jogadores de eras passadas. Ainda assim, seu salário mensal de mais de US$ 5 mil é visto como uma recompensa pelo atleta, que em suas passagens por equipes de pouca expressão do Nordeste brasileiro nunca conseguiu receber mais do que R$ 1 mil, ainda assim quando o ordenado não atrasava.

A HISTÓRIA DO ÊXODO

Ver jogadores deixando o país quase diariamente virou cena comum para os torcedores brasileiros já a partir a década de 1990, em especial após a abertura do mercado europeu. No entanto, o Brasil já exporta jogadores há mais de setenta anos e não exclusivamente para praças badaladas, como Itália e Espanha, ou países vizinhos, como a Argentina, onde o legendário zagueiro Domingos da Guia atuou na década de 1940, pelo Boca Juniors. A Itália, entretanto, foi o destino principal da leva inicial de atletas que se beneficiaram da lei que permitia a importação de *oriundi* – indivíduos descendentes de italianos. Assim Filó acabou na seleção campeã mundial de 1934 e uma série de outros jogadores brasileiros reforçou os times daquele país ao longo dos anos seguintes, a ponto de, entre 1955 e 1974, haver representantes verde-e-amarelos em 12 conquistas do Scudetto, nome dado ao título nacional. A presença brasileira criou uma crise no futebol italiano por conta dos protestos dos jogadores locais contra a vinda de estrangeiros, forçando a Federação Italiana de Futebol a proibir a contratação de jogadores não-italianos. A medida vigorou entre 1964 e 1980 e foi revertida por força de um escândalo de manipulação de resultados que pôs a credibilidade de clubes e atletas duramente em xeque.

Na Espanha, já na década de 1930 e cerca de sessenta anos antes de Ronaldo e Ronaldinho levantarem as torcidas nos estádios de Madri e de Barcelona, havia brasileiros em campo. Nos anos 1950, Evaristo de Macedo tornou-se um dos primeiros casos de sucesso de importação de nossos jogadores. Alguns anos depois, a chegada de Didi marcou uma pioneira contratação de impacto, ainda que o estilo de jogo cadenciado do brasileiro acabasse tornando curta e frustrante sua passagem pelo poderoso Real Madrid – ficou famosa a "enquadrada" que o meia levou dos companheiros de seleção, no Mundial de 1962, para que não perdesse a cabeça ao ter do outro lado do campo o atacante Di Stéfano, um de seus desafetos no Real, na partida entre Brasil e Espanha.

Mas quem foi o primeiro brasileiro a jogar no exterior? A pergunta é difícil de responder, pois não existem arquivos do início do século XX e as transferências eram feitas informalmente. O radialista Luiz Mendes, há mais de meio século trabalhando como comentarista esportivo, tem uma versão interessante que deve ser levada em conta.

– Na minha opinião, o primeiro brasileiro a jogar no exterior foi o paulista Charles Miller, o mesmo que trouxe o futebol para o Brasil. Miller estudou em Southampton, na Inglaterra, e voltou com duas bolas embaixo do braço, como duas sementes para lançar o futebol em solo verde-e-amarelo. E você vê que o futebol fertilizou no país, pois as sementes foram lançadas em terra muito fecunda – diz Mendes.

Uma reportagem publicada pelo Jornal do Brasil, em setembro de 1974, já chamava a atenção para o interesse de mercados menos convencionais por jogadores brasileiros, naquela época atuando em Hong Kong e nos EUA, antes mesmo da triunfal chegada de Pelé ao Cosmos, em 1977, quando os americanos tentaram alavancar no país o futebol jogado com os pés.

O fechamento do mercado italiano, cujos clubes eram os de maior poder aquisitivo no mundo, ajudou a inibir as transferências, mas a maioria dos ídolos brasileiros ainda não se mostrava muito interessada em deixar o país, até porque a opção por um contrato com uma equipe estrangeira quase sempre era recebida com rancor por dirigentes, público e mídia. E, fatalmente, refletia-se em convocações para a seleção. Que o diga José Altafini, o Mazzola, que depois de participar da conquista da Copa de 1958, ao lado de Pelé, Garrincha & cia., acertou com o Milan e, por medo de nunca mais disputar uma Copa do Mundo, também disse sim para uma proposta de dupla cidadania que lhe permitiria vestir a famosa camisa azul-escura. Ou um jogador como Julinho, um infernal ponta-direita que disputou a Copa de 1954, mas que por anos ficou longe da seleção por conta de uma transferência para a Fiorentina, no ano seguinte. Só retornou ao time em 1959, ainda assim como reserva de Garrincha. Jair da Costa foi campeão italiano quatro vezes com a Inter de

Milão, sendo até imortalizado no museu de cera do clube, mas jamais voltou a disputar um Mundial com a camisa verde-e-amarela depois de 1962, quando pertencia à Portuguesa de Desportos, de São Paulo.

A primeira convocação de um jogador brasileiro baseado no exterior só ocorreu em 1960, quando Vavá, o Leão da Copa de 1958, que estava no Atlético de Madrid, fez o segundo gol da seleção na vitória por 4 a 0 num amistoso contra o Chile, no Maracanã. Ainda assim, ele estava de volta ao Brasil para a campanha do bicampeonato no Chile, na qual nenhum dos jogadores envolvidos era "estrangeiro". Na malfadada campanha de 1966, a seleção tinha, bem no início da preparação, Jair e Amarildo, este, um dos heróis de 1962, então no Milan. Nenhum dos dois chegou à Inglaterra. O tabu dos estrangeiros só terminou em 1982, quando Falcão (Roma) e Edinho (Udinese) fizeram parte da equipe que disputou a Copa da Espanha. Curiosamente, apesar de uma dolorida derrota para a Itália, o torneio serviu de vitrine para uma geração de jogadores. Toninho Cerezo foi para a Roma, em 1983, um ano antes de Júnior trocar o Flamengo pelo Torino e Sócrates ser contratado pela Fiorentina, também da Itália.

Ainda assim, apenas Falcão era titular. No Mundial de 1986, os "estrangeiros" na equipe principal eram apenas dois: Júnior e Edinho. Quatro anos mais tarde, porém, a turma do exterior virou maioria na Copa da Itália, com 12 dos 22 convocados. Oito deles estavam entre os titulares na partida em que o Brasil foi eliminado pela Argentina, por 1 a 0. A mesma proporção prevaleceu em 1998 e 2002.

– Não acredito que a ausência de estrangeiros ocorresse apenas pelo lado dos dirigentes brasileiros. Pelo menos no meu caso, a ida para a Roma não me tirou da seleção. É preciso lembrar que os clubes internacionais nunca colaboraram na liberação de jogadores para a seleção, basta lembrar que eu não pude disputar as Eliminatórias da Copa de 1982 e estava prestes a ser o capitão da seleção – recorda Falcão.

Por sinal, o ex-craque acabou transformando-se num lobista ferrenho por maiores poderes para as seleções quando assumiu o cargo de técnico do Brasil, em 1990. Com o aval do presidente da CBF, Ricardo Teixeira, Falcão dedicou-se a um jogo de cabo-de-guerra com os cartolas dos clubes europeus que muita gente no mundo do futebol considerou seu trabalho determinante para a decisão da Fifa de estipular um número específico de partidas para as quais os jogadores devem ser obrigatoriamente liberados.

– Conversei uma vez com o Parreira e ele me agradeceu porque a situação ficou muito mais fácil para os treinadores que me sucederam – completa o comentarista e colunista.

Mas as brigas entre clubes e confederações conseguiram limitar às competições oficiais as apresentações da seleção brasileira em território nacional, o que impede qualquer treinador da seleção de repetir experiências como a realizada por Falcão em sua passagem pelo comando da equipe: nos amistosos disputados no Brasil, atletas ainda com base doméstica tiveram oportunidade de jogar e pelo menos três deles, de certa forma, firmaram-se na equipe por esse esquema: Márcio Santos, Leonardo e Mauro Silva.

Restrições legais e profissionais não foram as únicas razões para explicar o porquê de um fluxo tímido de jogadores para o exterior em comparação com os números atuais: até meados da década de 1980, atuar em clubes brasileiros não era mau negócio pelo simples fato de que as disparidades financeiras e estruturais em relação às equipes européias ainda não se mostravam tão acentuadas. Na prática, isso significava salários não tão achatados e a chance de uma independência financeira sem os sacrifícios exigidos por uma mudança de país, especialmente os pessoais, como a adaptação da família. Mas pouco se podia fazer contra a fragilidade econômica do Brasil e a evolução comercial do futebol no Velho Mundo, que resultou numa injeção sem precedentes de recursos no esporte a partir dos anos 1990, aumentando o poder de fogo dos clubes. Uma conta bancária recheada com moeda forte deixou de ser um privilégio ao alcance apenas de grandes estrelas, ainda mais depois da profissionalização do futebol japonês, cuja demanda por atletas brasileiros, embora sujeita a altos e baixos, tem-se mantido fiel nos últimos dois anos – o país foi o destino de quarenta jogadores em 2005, e 35, em 2004.

O reflexo das novas circunstâncias teve um impacto imediato na corrida para o aeroporto. Em 1992, foram 205 saídas, número que, impulsionado pela Lei Bosman, aumentou para 556, em 1997, e 736, em 2001. Houve uma queda para 593 em 2002, motivada pelos efeitos de um período de recessão no futebol europeu e no japonês, mas, em 2003, o número atingiu a marca recorde de 858 atletas.

QUESTÃO DE SOBREVIVÊNCIA

O EXEMPLO DO ANDARAÍ

Com calma e resignação, Leandro Alves conta que apenas cinco dos seus amigos de infância ainda estão vivos. Aos 25 anos, o atacante, mais conhecido como Léo, agradece ao futebol por estar vivo e pela chance de ter deixado o Morro do Andaraí, na Zona Norte do Rio de Janeiro, e viajado pelo mundo quando tinha apenas 14 anos.

– É muito triste. Sempre que posso vou ao morro ver os amigos que ainda estão por lá. Algumas mães de meus colegas me chamam para almoçar e se lembram dos filhos que morreram.

Elas me têm como exemplo – explica Léo, hoje vivendo em Abidjan, capital da Costa do Marfim, onde atua no Asec Mimosas.

É uma história de sucesso, mas sem *glamour*. Filho de um traficante e uma dona de casa, Leandro Alves tinha apenas sete anos quando perdeu o pai, vítima da guerra diária do tráfico. Cresceu acompanhando de perto o mundo das drogas e carregando o fardo de ser filho de Diogo da Cunha, um dos traficantes à época mais renomados do morro. E, conseqüentemente, era visto como um herdeiro do legado do pai.

Mas o futebol reservou a Léo um futuro diferente, mesmo que longe dos milionários contratos, carros importados ou mansões estonteantes. Uma casa para a mãe em Realengo, Zona Oeste do Rio, e a distância mantida do tráfico são motivos suficientes para que se sinta vitorioso graças à bola. Descoberto por um empresário francês quando disputava um torneio de peladas no Andaraí, Léo não tinha passado sequer por um clube carioca quando, aos 14 anos, foi parar na equipe de juniores do Paris Saint-Germain. Conviveu com ídolos como Raí e Leonardo, então estrelas da seleção e do clube francês. No entanto, a pouca idade e o óbvio impacto de uma mudança tão súbita de realidade prejudicaram sua adaptação, ainda que o atacante tenha passado quatro anos em Paris antes dos dirigentes do clube concluírem que Léo não servia mais aos planos. A solução foi uma transferência para o futebol português, entretanto sua passagem pelo União de Leiria durou apenas oito meses e foi somente mais uma parada num verdadeiro percurso cigano. Léo jogou na terceira divisão italiana e na Tunísia antes de voltar ao Brasil, mais especificamente para o Tupi de Minas Gerais. Não demorou muito já estava de volta à Europa, contratado pelo

Universita Bucareste, da Romênia, onde passou dois anos em condições bem menos amigáveis do que as encontradas na capital francesa.

– Adaptei-me bem, mesmo com o frio. O difícil era o racismo nas ruas. Só aturei porque nessa época já tinha uma filha para criar. Às vezes, saía do treino chateado porque os jogadores não tocavam a bola como gosto de jogar. Aí, ia caminhando na calçada para pegar um táxi, nisso passava um grupo de meninos brancos e começava a fazer som de macaco. É duro. Ficava revoltado – conta Léo, sem esconder o ressentimento.

A torcida do Universita, porém, teve um comportamento para lá de diferente. Léo lembra-se das vezes em que ficava fazendo alongamento após o treino e torcedores esperavam até o final dos exercícios para pedir um autógrafo ou simplesmente aplaudi-lo no caminho do vestiário. Depois da Romênia, o atacante voltou mais uma vez ao Brasil; foi artilheiro do Boa Vista, de Saquarema (RJ), passando rapidamente pelo Botafogo. Integrou ainda a equipe do Volta Redonda que conquistou o Campeonato Estadual do Rio em 2005. Logo depois veio o contato do treinador francês Patrick Liewig, seu técnico durante três dos quatro anos em que esteve no time de juniores do Paris Saint-Germain, convidando-o para atuar sob seu comando no Asec Mimosas.

Para quem saiu do Morro do Andaraí, Abidjan – mesmo depois de ter passado por uma guerra civil e de ainda parecer um barril de pólvora para o mundo exterior – é mais calma do que se imagina, garante Léo. Ele continua sonhando com os frutos que o futebol pode lhe dar. A Costa do Marfim é apenas uma ponte, uma vitrine. Tal como os jogadores que atuam na Coréia, que vêem no país um trampolim para o Japão, ou como os atletas baseados na Europa Oriental, sempre pensando em passar para o lado mais rico do continente, o carioca espera conseguir uma chance em times da Tunísia ou do sempre tão bem remunerado futebol do Oriente Médio. Um novo destino que pode garantir a independência financeira.

No entanto, o oeste da África é um porto seguro por enquanto. Na atual situação do futebol brasileiro, um salário de US$ 2 mil, mais luvas e prêmios, tudo em dia, é de causar inveja até mesmo para jogadores que estão nas equipes verde-e-amarelas mais conhecidas.

– Tenho uma boa casa, com dois quartos, bem confortável. A vida em Abidjan é calma e o clube possui uma estrutura superior àquela que eu tinha nos tempos do Paris Saint-Germain. O ônibus do clube, por exemplo, passa em casa para me buscar para os treinos – contou o jogador, sem saber o que o futuro lhe reservava.

É que a paz de Abidjan, que tanto Léo admirava, infelizmente não foi duradoura. Léo deixou a Costa do Marfim depois de passar por uma experiência mais conhecida por quem vive nas grandes cidades do Brasil: sua namorada foi seqüestrada por um bandido local, que se apaixonara pela moça. O jogador precisou recorrer ao presidente do clube, que conseguiu identificar o mandante do seqüestro e, conseqüentemente, arranjar a liberação da moça. Assustado, Léo pediu as contas e voltou para o Brasil. Mais especificamente, para o modesto Boa Vista, de Saquarema, no litoral do Rio de Janeiro, enquanto espera mais uma chance de voltar ao exterior.

O ARTILHEIRO DA MALÁSIA

A Malásia está longe de ser imediatamente associada ao futebol, ainda que o país asiático tenha servido de *sparring* para a seleção brasileira na preparação para a Copa do Mundo de 2002. Mas é em Sabah, a duas horas de vôo da capital, Kuala Lumpur, que um brasileiro já se tornou celebridade, graças às suas boas atuações em campo. Sucesso que nunca experimentou em gramados brasileiros.

Júlio César Rodrigues de Souza, 25 anos, foi o artilheiro do Campeonato Malaio de 2005, com 18 gols. Uma reviravolta para o atacante, que começou profissionalmente no Coritiba e circulou em times sem expressão do Sul do Brasil até receber a proposta do Sabah, um dos principais times da Malásia. Deixou para trás o salário de cerca de R$ 2 mil na Associação Carazinhense de Futebol, do Rio Grande Sul. O ostracismo no Brasil foi substituído pelos autógrafos no aeroporto de Kuala Lumpur. Mesmo curtindo a experiência de ser ídolo num mercado totalmente desconhecido, Júlio César acredita que a boa fase pode garantir-lhe um contrato na Europa ou em algum mercado mais competitivo.

As boas atuações vêm lhe proporcionando destaque nos jornais e sua foto virou figurinha fácil nos cadernos esportivos em 2005. Ainda levou o título de revelação e a Chuteira de Ouro, de artilheiro da temporada. O prêmio maior é um ordenado pelo menos cinco vezes maior do que o normalmente embolsado no Brasil. O atacante vive na Malásia com a mulher e os filhos gêmeos Guilherme e Gabriel, de dois anos, e mantém contatos com amigos no Brasil pela Internet. E não se abate com as diferenças culturais entre Brasil e Malásia, sobretudo porque sua vida de profissional no Brasil era marcada muito mais por sacrifícios do que recompensas.

– A vida agora não tem comparação com o que era no Brasil. Passei muitas dificuldades. Salários baixos, sem lugar para morar, dividindo quarto com outros oito jogadores, dormindo embaixo de arquibancada. Agora, tenho condições de sonhar – diz o jogador.

DINHEIRO × SONHOS

A chance de conseguir comprar a tão sonhada casa para os pais e ganhar salário em dia não fez Josemar dos Santos Silva pensar duas vezes antes de trocar o Fluminense pelo desconhecido Yverdon Sports, da Suíça, em 1999. A oferta foi tentadora, equivalente a 15 vezes o salário oferecido pelo tricolor carioca. Aos 19 anos, o paraibano de João Pessoa, que sonhava com a seleção brasileira, pegou as malas e sumiu do mapa.

– Não dava para recusar. Além de comprar uma casa, consegui ajudar a família e fazer um pé-de-meia – explica o jogador.

Único homem entre quatro filhos, Gil, como é conhecido no futebol, diz que sempre foi o alicerce da família. O jogador lembra com orgulho que a ida para a Suíça garantiu a casa própria aos pais, ajuda às irmãs e deixou para trás o passado triste que contava até com dias em que faltava comida na mesa. Mas o tom de voz de Gil muda sensivelmente quando fala da saída precoce do Brasil. E o jogador confessa que, às vezes, pensa em como gostaria de ter tido mais oportunidades no futebol verde-e-amarelo.

– Se pudesse voltar atrás, teria tentado fazer meu nome antes no Brasil e disputar uns quatro Brasileirões antes de mudar para a Europa. Foi bom em termos financeiros, mas não profissionalmente. Em 1999, quando Carlos Alberto Parreira era técnico do Fluminense, ele me disse que eu tinha chances de um dia jogar na seleção, se continuasse trabalhando daquela forma. Acho que, se eu encontrar o professor hoje, nem vai se lembrar disso – acredita Gil.

O medo do ostracismo não é apenas exercício de imaginação. Em 2004, de volta ao Fluminense, já encontrou um clube em que todas as atenções giravam em torno de estrelas como Romário e Roger. Continuou fora da mídia, como se estivesse no pequeno Yverdon, mas dessa vez enfrentando as crises financeiras. A chance de mudança chegou por intermédio de um empresário holandês que esteve em Laranjeiras e propôs a ele que fizesse um teste no modesto Beerschot Germinal Antuérpia, na Bélgica, time sempre beirando a lanterna do já apagado campeonato nacional. Mas foi a oportunidade que precisava para deixar novamente as Laranjeiras rumo à Europa. Hoje, instalado na segunda maior cidade da Bélgica, Gil diz ter feito a escolha certa. O sonho de uma carreira estável no Brasil esbarrou na realidade de promessas não cumpridas do futebol verde-e-amarelo.

– Ter € 2 mil de salários em dia é um sonho para muitos. A coisa está difícil. Para ganhar R$ 1 mil já está duro e eles ainda atrasam e deixam o jogador na mão – reclama Gil.

No momento, Gil só pensa em cumprir seu contrato de quatro anos na Bélgica. Ainda pretende, entretanto, tentar mais uma vez chamar a atenção de um grande time brasileiro. Corre contra o tempo, pois já tem 25 anos.

NAS PROFUNDEZAS DA LIGA INGLESA

Márcio Gaia tinha motivos para imaginar um futuro estável no futebol naquele ano de 1995, quando fez parte da seleção brasileira sub-17 que terminou como vice-campeã do Mundial do Equador. Mas as suas expectativas de chamar a atenção de grandes clubes nunca se concretizaram e, em 2002, ao ser indicado para o empresário alemão Hans Herbert por um colega de profissão, o capixaba tinha no currículo apenas passagens pelas divisões de base do Vitória da Bahia e por pequenos clubes do Nordeste. Não é de estranhar que ele tenha aceitado sem pestanejar a proposta de realizar um teste num clube inglês, ainda que detalhes fundamentais como o nome do time e mesmo sua localização estivessem faltando. Gaia não falava uma palavra de inglês quando pegou o avião.

– Vim no escuro e fiquei um pouco preocupado com a falta de informações, mas sabia que havia uma boa chance de acertar uma ida para a Europa e ajudar minha família. Só quando cheguei no aeroporto é que soube para onde estava indo – lembra o zagueiro.

O destino era Exeter, uma pequena cidade do rural sudeste inglês e cujo time, o Exeter City, na época, estava apenas na terceira divisão da Liga Inglesa. O Exeter, porém, tem uma forte ligação com o Brasil, pois em 1914 foi o primeiro adversário da então recém-formada seleção brasileira de futebol. Gaia achou que era um sinal de sucesso, algo que o ajudou a espantar o nervosismo, pois seu teste no clube aconteceu apenas 24 horas após a chegada à Inglaterra e num sistema de "peneirão", com outros candidatos preocupados em impressionar a comissão técnica.

– Acabei dormindo demais por causa do cansaço da viagem. Tive de ir para o teste sem tomar café-da-manhã. Estava tudo ficando complicado – conta Gaia.

Só que a fome por sucesso era maior. Gaia foi aprovado e contratado. No entanto, ainda teve que passar um mês praticamente com a roupa do corpo, pois o pouco dinheiro que levara e as ajudas de custo do empresário acabaram. Colegas de clube com quem vivia numa espécie de república o ajudaram. Houve, ainda, um problema em seu visto que o obrigou a voltar ao Brasil antes de finalmente jogar. Na primeira partida, porém, não apenas acabou expulso como também sofreu uma fratura no osso malar ao levar uma cotovelada de um adversário. E o Exeter acabaria rebaixado para a quarta divisão na temporada 2002/03.

– Mas nunca me senti diminuído por estar nas divisões inferiores. O Exeter ainda caiu para a quinta depois, mas nunca deixou de pagar os salários em dia, mesmo quando enfrentou dificuldades financeiras. Sem falar que o clube tem um estádio próprio, melhor do que muita coisa no Brasil, e um centro de treinamento. No Brasil, mesmo times maiores nem sempre terão esse tipo de estrutura.

Embora não estivesse numa Ucrânia da vida, Gaia sofreu com a chuva e o frio ingleses e demorou a se acostumar à falta de luz natural que marca o inverno do país, especialmente porque a esposa, Alessandra, só seguiu para Exeter em 2004, depois de terminar seu curso universitário no Brasil.

– A gente se viu apenas três vezes nesse período. O resto era muito mais pelo telefone. Mas todo mundo me recebeu superbem, a torcida sempre teve muito carinho comigo.

Gaia retribuiu com trabalho e mesmo gols – foi vice-artilheiro do time na temporada de 2004/05 com 12 gols. E entrou para a história do clube na partida em que o Exeter arrancou um heróico empate de 0 a 0 com o poderoso Manchester United, na Copa da Inglaterra de 2005, na casa do adversário e frente a um público de 69 mil pessoas.

– Foi inacreditável. Jamais tinha jogado diante de tanta gente e, naquele dia, o nosso time enfrentou alguns dos jogadores mais caros da Europa. Perdemos a partida de volta, em Exeter, mas só o bicho daquele empate em Manchester já valeu a viagem – brinca o zagueiro.

Aos 27 anos, Gaia sabe que não tem muito tempo para realizar seu sonho de jogar num grande clube europeu, de preferência numa divisão de elite. Ele mantém-se otimista, até porque o salário de US$ 5 mil no Exeter permite que envie dinheiro para os pais e pague a faculdade da irmã.

– A gente sempre quer andar para a frente, porque isso é o que nos dá vontade de suar a camisa, mas de maneira alguma eu reclamo da vida. No Brasil, às vezes, era complicado ter algum dinheiro para fazer o supermercado. O salário era baixo e volta e meia não chegava.

Sua única frustração foi estar lesionado quando o Exeter enfrentou uma seleção brasileira de veteranos, em junho de 2004, para celebrar os noventa anos do amistoso de 1914. Ele perdeu a chance de enfrentar ídolos como os tetracampeões Dunga, Ricardo Rocha e Jorginho.

– Foi muito azar ter me machucado justamente na época daquele jogo – lamenta o jogador.

SELEÇÃO OU INDEPENDÊNCIA FINANCEIRA?

Um mundo cada vez mais globalizado e que encolhe com o desenvolvimento das tecnologias de transmissão de informações não parece ser ainda suficiente para manter em evidência os jogadores de futebol que optam pelos chamados mercados emergentes – Rússia, Japão e Coréia do Sul – ou por países sem grande tradição no esporte. Uma situação ainda mais problemática para os atletas de chamado "potencial selecionável". O próprio técnico Carlos Alberto Parreira, quando estava à frente da seleção brasileira, costumava declarar que, infelizmente, ainda é difícil acompanhar o desempenho de um jogador que atua fora do circuito convencional. A mensagem cai como uma luva para o atacante Elano Blumer, de 24 anos. Até o início de 2005, o meia, um dos principais nomes da jovem equipe do Santos, campeã brasileira de 2002, figurava em algumas convocações e vinha sendo cotado como um dos grandes destaques da nova geração, com direito até a reportagens em revistas internacionais.

Veio, porém, uma proposta milionária – segundo rumores, US$ 10 milhões por três anos de contrato – que fez o jogador trocar a Vila Belmiro pela fria Donetsk, na Ucrânia, para jogar pelo Shahktar Donetsk, o melhor e mais bem-estruturado time do país na atualidade, mas que não representa muita coisa quando o assunto é manter-se em evidência. E o resultado da transferência foi o imaginável: desde a ida para a Europa Oriental, o meia não foi mais convocado para a seleção e riscou de vez qualquer possibilidade de ser um dos convocados para a Copa da Alemanha.

Sem seleção, mas com dinheiro no bolso. E sem arrependimento.

– Aprendi muito com a experiência e não me arrependo de ter vindo, nem mesmo quando penso que poderia ter estado no grupo que disputou a Copa do Mundo, como o professor Parreira chegou a dizer. Jogar no Shahktar era uma oportunidade de resolver minha vida em termos financeiros. A carreira de jogador é curta e a gente sabe que tem o risco de machucar-se gravemente e acabar passando necessidade – explica Elano.

No que diz respeito à famosa camisa amarela, porém, a sorte de Elano mudou. A entrada do técnico Dunga na seleção, com sua filosofia de renovação e a intenção de dar uma chance à turma isolada na Europa Oriental, abriu de novo as portas da equipe para o jogador, que respondeu ao incentivo do treinador com dois gols na antológica vitória do Brasil sobre a Argentina por 3 a 0, em setembro de 2006, em Londres. Abriu-se também o caminho para uma transferência num futuro próximo, pois sair da Ucrânia não vai ser fácil.

Mesmo sabendo que pode ser difícil mudar de clube neste momento, o jogador já diz que não vai cumprir os três anos de contrato e pretende deixar a Ucrânia no final de 2006. Ele afirma que não tem condições de criar a filha de menos de um ano no gelo da Ucrânia, que não está presente somente nas condições climáticas.

– Faz frio quase o tempo todo e há muita poluição; dizem ainda que há risco de contaminação radioativa. E como o povo também é muito seco, você acaba vivendo sem amigos. Sem falar que Donetsk é uma cidade feia e isolada. Algumas áreas são mais pobres que o Brasil – comenta o meia.

Mas não é só a questão familiar e a adaptação ao estilo de vida do país. Elano não poupa críticas ao futebol ucraniano, mesmo estando financeiramente em uma posição de dar inveja até mesmo a jogadores que estão nos mercados mais badalados da Europa.

– Jogo num time que tem uma bela estrutura financeira, pois pertence a um dos homens mais ricos da Ucrânia. Mas é muito desorganizado. A fisioterapia é de péssimo nível, chega a ser perigosa. E há algumas coisas inacreditáveis: uma vez fomos jogar em Kiev e, enquanto o time foi de avião, nosso material seguiu de ônibus, numa viagem que dura seis horas só de ida.

Elano considera o nível do campeonato péssimo, "cheio de trombada". Além disso, o Shahktar não encontra adversários à altura, chegando a abrir trinta pontos de vantagem sobre o segundo colocado durante a última temporada. O jogador acredita que a volta ao sucesso e ao reconhecimento está condicionada à mudança de país e à transferência para um time de maior expressão. Elano, ao contrário da maioria dos jogadores que atuam no exterior, cogita até mesmo voltar ao Brasil.

– Estou com apenas 24 anos. Gostaria de jogar num time grande da Europa, mas não me incomodo se tiver de voltar ao Brasil. O importante é voltar a ser alguém, recuperar o entusiasmo. Há grandes clubes no Brasil – diz Elano.

O meia afirma que vai embora, mas ainda não sabe se vai ser fácil deixar a Ucrânia antes do final do contrato. Que o diga o atacante Vágner Love, do CSKA Moscou, que vem tentando, em vão, deixar a Rússia. Após um contrato milionário de três anos, no final da primeira temporada, em 2004, Vágner quis voltar ao Brasil. Chegou-se a dizer que iria para o Corinthians, mas os russos não se sensibilizaram com os apelos do jogador. E Vágner continua até hoje na caótica capital russa, enfrentando temperaturas abaixo de zero e sem conseguir fugir do contrato milionário que se tornou uma espécie de armadilha para o jogador.

– Quero voltar ao Brasil por motivos particulares. Mas isso não significa que não tenha sido bem recebido na Rússia ou que não me sinta adaptado – explica o jogador, que diz ter-se deparado com o racismo gritante da sociedade russa.

Vágner Love também era considerado uma possível presença no grupo de jogadores que disputariam a Copa do Mundo de 2006. No entanto, além da concorrência acirrada, outro motivo que influenciou essa ausência entre os convocados foi a atual situação dos jogadores, pois as notícias sobre seus desempenhos chegam de forma esporádica ao Brasil em razão de o Campeonato Russo estar longe de ser uma das competições internacionais mais acompanhadas pelos brasileiros.

Ninguém quer, entretanto, perder a chance de fazer o pé-de-meia. Os exemplos de jogadores que brilharam nos campos e, financeiramente, foram ou são um fracasso deixaram essa geração mais atenta às oportunidades, fazendo com que a razão venha antes da paixão. Além disso, os jogadores não se cansam de repetir: jogador tem vida curta. Se acontecer alguma coisa? Se sou obrigado a abandonar o futebol? Como fica a minha família?

Esses pontos são considerados pelos jogadores na hora de aceitar propostas tentadoras, mas que podem influenciar seu desenvolvimento profissional. A maioria aposta na independência financeira porque, com sorte, ainda conseguirá espaço na mídia e em um grande clube.

Outro do grupo dos possíveis selecionáveis que desapareceu do mapa foi Alexsandro de Souza, o meio-campo Alex. Aos 28 anos, figura fácil nas convocações do técnico Carlos Alberto Parreira, desde que se transferiu para o futebol turco ficou em desvantagem em relação aos demais jogadores. Mas ele, que virou ídolo do Fenerbahçe, de Istambul, pensa diferente: sua ausência da seleção brasileira não tem relação com o fato de estar jogando na Turquia.

– Já joguei com a seleção quando estava no exterior e, se o treinador quiser, pode obter informações sobre como estou atuando. Isso não é difícil, até porque o Fenerbahçe disputa a Liga dos Campeões – explica Alex.

Mas nem tudo é sucesso. Se pudesse voltar no tempo, Alex diz que teria pensado melhor antes de ir para o Parma, em 1999.

O jogador acabou tendo de recorrer à Justiça para deixar o clube italiano, ao qual não se adaptou, enfrentando ainda problemas com a comissão técnica. Alex afirma que a situação de jogadores como Elano e Vágner Love é diferente da sua.

– Eles são novos e ainda não tiveram a chance de mostrar todo o seu futebol no Brasil, o que pode dificultar uma convocação.

Mesmo assim, Alex acha que cada jogador deve fazer o que for melhor para sua carreira, independentemente de seleção brasileira. Em muitos casos, é melhor atuar em um time menos conhecido do que estar no Real Madrid sem participar dos jogos.

– Eu não tenho essa vaidade de aparecer o tempo todo. Claro que um mercado mais conhecido, como a Espanha, é interessante. Mas eu não tenho do que reclamar da Turquia.

Alex pouco sabia sobre o país, quando surgiu a proposta do Fenerbahçe. Precisou conversar muito com outros jogadores baseados lá. Hoje, instalado na capital Istambul com a mulher e a filha, ele se diz totalmente adaptado e surpreso com tudo o que encontrou.

– O povo aqui ama o futebol, recebe bem os estrangeiros. Não tive problema nenhum. Claro que a sociedade é diferente, mas ao mesmo tempo é como ter uma aula de História ou Geografia. Não se trata apenas da carreira, é uma experiência de vida.

A SELEÇÃO EXPATRIADA

O êxodo de jogadores brasileiros foi além de simplesmente levar atletas a mudar de país: na Copa do Mundo da Alemanha registrou-se um recorde de jogadores brasileiros naturalizados disputando o torneio, com pelo menos dois deles já fadados a ter Ronaldinho & cia. como adversários. Especialmente nos países com menos expressão no futebol, convites para mudança de nacionalidade surgem como uma chance de reforço para as seleções nacionais, ao mesmo tempo que abrem espaço para a contratação de estrangeiros não-comunitários pelos clubes. Esse último recurso, por sinal, é adotado mesmo por grandes equipes, como o Real Madrid, que há alguns anos incentivou o lateral Roberto Carlos a obter passaporte espanhol. A dupla nacionalidade apresenta-se também como uma oportunidade de ouro para que jogadores sem perspectivas de atuar pela seleção brasileira realizem o sonho de disputar uma Copa do Mundo e impulsionem a carreira.

NO JAPÃO, SEM OLHOS PUXADOS

O meio-campo Alessandro dos Santos, o Alex, do Urawa Red Diamonds, do Japão, de 28 anos, ganhou destaque na imprensa internacional ao defender a seleção japonesa na Copa de 2002. O resultado foi imediato: logo após o final da competição, chegou a viajar à Inglaterra a fim de acertar sua transferência para o Charlton. Alex, porém, não teve sorte. Seu visto de trabalho foi recusado porque o jogador não tinha participado de pelo menos 75% das partidas da seleção japonesa num período de dois anos, conforme dita a legislação britânica. Com isso, Alex ficou no Japão, onde está até hoje.

O jogador obteve cidadania japonesa em 2001, sete anos depois de chegar ao país, como parte de um programa que incluía estudos à rotina de treinamentos. Em 1997, foi contratado pelo Shimizu S-Pulse e, em quatro temporadas, conquistou títulos importantes como a Copa da Ásia e a Copa do Imperador. Com a naturalização, Alex tornou-se o terceiro brasileiro a jogar pela seleção do Japão num Mundial – Ruy Ramos e Wagner Lopes disputaram a Copa da França, em 1998. Nenhum deles, porém, enfrentou o Brasil, que, em 2006, foi o terceiro adversário da seleção japonesa na Alemanha.

– Não vou pensar duas vezes: sou um cidadão japonês e vou batalhar pelo Japão, até porque preciso ser profissional – afirmou o jogador.

LUSITANO DE OCASIÃO PREDESTINADO

Um dos casos mais famosos de brasileiros naturalizados no momento é o do meio-campo Anderson Luis de Souza, o Deco. O jogador do Barcelona é titular da seleção de Portugal e sua naturalização foi endossada pelo treinador Luiz Felipe Scolari, que o considera peça-chave da equipe. Tal *status*, porém, não o poupou das críticas da imprensa portuguesa e de jogadores famosos, como Luís Figo. Mas ter marcado o gol da vitória justamente num amistoso contra o Brasil, em 2003, não só ajudou a silenciar os opositores como ainda fez o jogador finalmente ser reconhecido em sua terra natal. Deco, de 27 anos, deixou o país em 1997 como um total desconhecido. Antes de ser contratado pelo modesto Alverca, uma espécie de filial do Benfica, um dos maiores clubes portugueses, disputou a Taça São Paulo de Juniores pelo Corinthians e passou cinco meses no CSA, de Alagoas.

Com a camisa do Porto, Deco conquistou três títulos portugueses, uma Copa da Uefa e a Liga dos Campeões de 2004, campanha que lhe valeu convites de equipes como o Chelsea (Inglaterra) e Milan. Na seleção portuguesa ficou com a vaga de Rui Costa, um dos maiores ídolos do futebol lusitano de todos os tempos. Deco é bastante pragmático ao falar de sua opção por Portugal e garante não ficar pensando se poderia estar atuando hoje pela seleção brasileira.

– Não me arrependo e acho que faria de novo. Sinto-me muito bem em Portugal, sou muito bem tratado. Estou jogando na seleção portuguesa e não adianta ficar imaginando se eu poderia estar na seleção brasileira. O jogo de 2003 foi muito mais especial por ser o meu primeiro na seleção, mas lógico que a sensação de jogar com o Brasil nunca é simples – afirma Deco.

No ano passado, o meia foi recompensado com elogios de Carlos Alberto Parreira, que anteriormente havia declarado que Deco não teria muitas chances de jogar pelo Brasil. Alçado à condição de um dos melhores jogadores do futebol europeu, o paulista se diz satisfeito com as perspectivas de uma carreira estável no Barcelona, só que ainda planeja um dia vestir a camisa do Corinthians, o time do coração que não pôde defender porque sua ida a Portugal era mais lucrativa aos empresários donos de seu passe.

ESPANHA REFORÇADA POR PAULISTA

Outro que recentemente ganhou a chance de vestir a camisa de uma seleção nacional foi o meio-campista Marcos Senna, do Villareal, que defendeu a Espanha no Mundial de 2006. Aos 29 anos, ele pediu a cidadania espanhola para liberar uma das vagas estrangeiras no Villareal, por isso se assustou quando recebeu um telefonema de Luis Aragonés, o técnico da seleção espanhola.

– Sempre sonhei jogar na Espanha, mas não imaginava que iria parar na seleção. Mas disse ao Aragonés que tinha feito uma opção de vida ao pedir a nacionalidade espanhola.

Surpreso, ele também ficou com o interesse do Villareal, em 2002. E seu primeiro pensamento foi: "Mas onde é que fica isso?", pois jamais ouvira falar da pequena cidade espanhola e de seu time de futebol, recém-chegado à primeira divisão. Villareal tem quarenta mil habitantes, a metade da ocupação de estádios como os do Real Madrid ou Barcelona. É o menor município entre todos os que possuem clubes na primeira divisão do Campeonato Espanhol. A única fonte de informação para Senna era outro brasileiro no elenco do Villareal: o lateral-direito Belletti.

– Liguei para o Belletti, que me falou bem do clube, que estavam montando um time novo e competitivo, mas que era modesto. E eu viajei sem saber onde ficava Villareal – lembra ele.

Segundo Senna, sua adaptação foi rápida porque, além do contato com Belletti, ele se apegou à forte fé religiosa. Logo encontrou uma igreja evangélica e a tranqüilidade para transformar-se num dos destaques da surpreendente ascensão do Villareal, que na temporada de 2004/05 terminaria em terceiro lugar no Campeonato Espanhol e, em 2006, derrubou favoritos como o Manchester United e a Inter de Milão para chegar às semifinais da Liga dos Campeões.

– Tinha ansiedade para viver uma experiência de seleção. Não fico triste de não jogar pelo Brasil porque sabia que minhas chances com o Parreira eram zero. Se tivesse de escolher, seria duro demais – confessa.

Apesar de o futebol espanhol ter sido palco de diversos incidentes racistas nos últimos tempos, Senna afirma nunca ter sido vítima de discriminação racial, ao contrário de colegas famosos como Roberto Carlos.

– Comigo isso nunca aconteceu, mas acho que essa história é muito mais uma reação de raiva dos torcedores do que racismo de verdade.

Mas Senna não é o primeiro brasileiro a vestir a camisa da Fúria Vermelha, como é conhecida a seleção espanhola: a honra coube ao zagueiro Donato, ex-Vasco, que se naturalizou em 1994 e, em 1996, foi convocado para a equipe que disputou a Eurocopa da Inglaterra. Donato jogou apenas oito minutos no empate em 1 a 1 da Espanha com a Bulgária. Em 2002, o atacante Catanha disputou quatro partidas. Os dois, porém, nunca foram a uma Copa do Mundo.

O CROATA DA VILA KENNEDY

Eduardo da Silva cresceu sonhando com uma vaga no time principal do Bangu, o clube do bairro carioca onde passou boa parte de sua vida. A vida, porém, deu voltas, e o jogador passou os primeiros meses de 2006 pensando na Copa do Mundo da Alemanha ao mesmo tempo em que ajudava o Dínamo de Zagreb na disputa do Campeonato Croata. Desde 1999, o carioca é mais conhecido como Da Silva e, em 2004, ao se naturalizar, transformou-se numa arma secreta dos croatas para disputar as Eliminatórias do Mundial. Só não esperava uma dupla ironia do destino: a Croácia não apenas teve o Brasil como um dos adversários em seus amistosos de preparação, como ainda caiu no mesmo grupo dos pentacampeões na Copa.

– Não foi um caso de simplesmente escolher um país para representar, pois eu já morava há cinco anos na Croácia. E, sinceramente, para jogar na seleção brasileira hoje em dia você precisa ser pelo menos artilheiro do Real Madrid. Pela Croácia, tenho a chance de realizar o sonho de disputar uma Copa do Mundo. No amistoso de 2005, foi muito estranho quando tocou o hino nacional brasileiro, mas, ao entrar no jogo, já no segundo tempo, só pensava em ajudar o país que me adotou.

Hoje, instalado em Zagreb, Da Silva está casado com uma croata e tem uma filha. Recebe em dia seu salário, que diz não ser nada excepcional, mas melhor do que estaria ganhando no Brasil. No entanto, ainda não juntou dinheiro suficiente para realizar o sonho de comprar uma casa para a mãe e tirá-la da Vila Kennedy. Para isso, espera conseguir um contrato melhor, de preferência, em um país europeu de mais tradição no futebol.

– Quero muito conseguir abrir um negócio para minha família, para que tenham uma fonte de renda. Agora, o que eu ganho dá para viver e ajudar um pouco. A vida na Europa é muito cara e é engraçado as pessoas pensarem que jogador que sai do Brasil já arruma um monte de dinheiro e carrões – diz o croata da Vila Kennedy.

Um sinal da adaptação de Da Silva à rotina num país em que a presença brasileira é rara, a ponto de não haver embaixada ou consulado, é o fato de o jogador volta e meia tropeçar no português. Já ficaram para trás o sofrimento com o frio, com as diferenças culinárias e, sobretudo, com o complicadíssimo idioma local – se bem que Da Silva revela ter precisado de apenas seis meses para expressar-se decentemente em croata.

Eduardo tem contrato até 2009 com o Dínamo de Zagreb e espera chamar a atenção de clubes da Inglaterra ou Alemanha ou algum outro grande mercado. Ele já tem feito progressos: depois de um começo atribulado, em que acabou emprestado para uma equipe da segunda divisão por não ter impressionado muito os dirigentes do Dínamo (chegou a treinar com o pé fraturado em seu afã de conseguir firmar-se), Da Silva conquistou o respeito de cartolas e torcedores e viu o preço do seu passe subir de US$ 50 mil para US$ 6 milhões. O Ajax, da Holanda, tentou contratá-lo e é possível que outras equipes apareçam.

– Consegui realizar o sonho de jogar futebol em um grande clube. No Brasil, são muitos jogadores. Não há espaço para todo mundo. De repente, poderia estar no Brasil trabalhando, ter desistido de ser jogador. Nenhum de meus amigos de pelada conseguiu se profissionalizar.

Da Silva, porém, viu seu sonho de disputar a Copa do Mundo da Alemanha ir por água abaixo, já que não foi convocado e teve de assistir pela TV à estréia da Croácia no Mundial: ironicamente, contra a seleção brasileira, em Berlim.

DE DESCONHECIDO À SELEÇÃO DA ALEMANHA

Nascido no Rio, o brasileiro-alemão-panamenho Kevin Kuranyi, apesar de defender a seleção alemã, tem laços fortes com o Brasil, onde começou a jogar futebol nas divisões de base do Serrano, de Petrópolis, sem contar com o futebol de praia que sempre curtia na Zona Sul do Rio.

Kuranyi e a família deixaram o Rio e foram para a Alemanha, terra do pai, quando ele tinha 15 anos. O jogador iniciou sua carreira no Stuttgart, no qual se destacou, conquistando assim seu espaço na seleção tricampeã mundial, com sua primeira convocação em 2001. Atualmente, joga no Schalke 04 e virou personalidade na Alemanha, principalmente por sua ligação com o Brasil.

Ele nunca escondeu o carinho pelo país de origem e, na primeira vez em que enfrentou a seleção brasileira, em 2003, num amistoso em Berlim, não celebrou o gol marcado no empate de 1 a 1. No final, disse "que se sentia um pouco brasileiro" e, por isso, não ficara à vontade para celebrar um gol contra o Brasil.

Kuranyi visita o Rio sempre que pode – assistiu aos desfiles na Marquês de Sapucaí em 2006 –, mas está cada vez mais alemão e ligado à seleção anfitriã do Mundial de 2006. Admite ter aceitado o convite para jogar pela Alemanha por uma questão para lá de prática: as mais do que remotas chances de um dia ser convocado para vestir uma famosa camisa amarela.

– A seleção brasileira tem tantos jogadores bons que é mais fácil jogar pela Alemanha, sem falar que esse é o país em que moro desde adolescente – afirma o carioca.

Kuranyi diz saber de suas limitações e não perde o sono com as críticas de que teria problemas para ser titular em qualquer grande equipe brasileira. Ainda que não esconda o desejo de um dia ver os críticos queimando a língua: Kuranyi quer vestir a camisa do Flamengo. Por enquanto, a grande batalha é conquistar um espaço na seleção alemã e evitar o destino de outro brasileiro que também tentou tal manobra: o paranaense Paulo Rink, cuja ascendência germânica não apenas ajudou em sua transferência para o Bayer Leverkusen, em 1997, como lhe abriu as portas da seleção. Rink, entretanto, acabou sendo um dos bodes expiatórios após a desastrosa campanha da Alemanha na Eurocopa de 2000, eliminada na primeira fase. O atacante brasileiro participou dos três jogos, mas não fez nenhum gol e depois simplesmente sumiu da lista de convocações.

O sonho de Kuranyi de participar de uma Copa do Mundo vai ter que esperar até 2010... Apesar de ter participado da última Copa das Confederações e de vários amistosos com a camisa da seleção alemã, o brasileiro acabou fora dos planos do treinador Jurgen Klinsmann, para quem Kuranyi não estava com a forma totalmente recuperada após uma lesão no joelho que o tirara de parte da temporada de 2005/06.

SONHANDO SER *CAMPEÓN*

Na Copa das Confederações de 2005, disputada na Alemanha, uma das surpresas da seleção mexicana, que derrotou o Brasil na primeira fase, foi o meio-campo Antônio Naelson Matías, o Sinha. O brasileiro, que obteve a dupla cidadania em 1996 ao casar-se com uma mexicana, acabou eleito o melhor jogador da partida contra os pentacampeões mundiais.

Nascido na cidade de Itajá, no Rio Grande do Norte, Sinha cresceu nos arredores de Natal. A vida difícil levou-o ao trabalho de ladrilheiro quando tinha apenas nove anos. O primeiro contato de Sinha com o México foi há 11 anos, quando empresários mexicanos, em excursão pelo Brasil, demonstraram interesse em comprar o passe do jogador. Sinha, nessa época, atuava no Rio Branco de Americana, no interior de São Paulo. As negociações, entretanto, não caminharam e ele só conseguiu transferir-se para o México dois anos depois.

Primeiro, Sinha perambulou por equipes da segunda divisão. Depois, conseguiu uma vaga na equipe do Toluca, na primeira divisão, o que lhe abriu as portas para a seleção mexicana.

O atacante não se arrepende da troca, embora recorde que enfrentou problemas, mesmo tendo chegado à seleção mexicana e alcançado destaque que jamais conseguiu no Brasil.

– No início foi muito difícil. Ouvi muitas críticas sobre a minha ida para a seleção mexicana. Acho que agora as coisas já estão melhorando. Quando me naturalizei, não estava pensando em jogar na seleção, até porque naquele momento um jogador naturalizado não podia integrar a equipe mexicana. Mas quando a legislação mudou, foi tudo rápido e acabei sendo convocado antes do que esperava.

Sinha foi o segundo brasileiro a defender o México numa Copa do Mundo. Luís Roberto Alves, o Zaguinho, esteve no Mundial dos EUA, em 1994, e no da França, em 1998.

TUNÍSIA VERDE-E-AMARELA

Brasileiros naturalizados também marcaram presença no futebol africano. Mais especificamente na Tunísia, que, em 1998 e 2002, contou com o zagueiro José Clayton em sua delegação. Há um outro companheiro originalmente verde-e-amarelo: o também atacante Francileudo dos Santos Silva, do Toulouse, da França. Santos caiu nas graças dos tunisianos ao ter uma passagem vitoriosa pela equipe do Étoile du Sahel. Mesmo transferindo-se para a França, recebeu o convite para tornar-se tunisiano, proposta que foi aceita imediatamente em 2000. Mas a estréia na seleção da Tunísia só aconteceu em 2004. Santos destacou-se na final da Copa das Nações Africanas, quando já se firmara como artilheiro e titular da equipe. Até marcou um dos gols que deram à Tunísia o título continental.

Clayton e Santos são do Maranhão, estado freqüentemente ligado a denúncias sobre uma máfia na exportação de jogadores, sobretudo menores de idade, com a Bélgica como destino mais popular. Clayton, por sinal, sentiu na pele os problemas provocados pela conexão maranhense: chegou à Bélgica em 1994, aos 21 anos, e descobriu que sua transferência para um clube local havia sido cancelada. Sem dinheiro ou esperanças, acabou salvo por um treinador do Moto Clube, time maranhense para o qual jogara por dois anos. O treinador estava trabalhando na Tunísia e indicou o jogador para o Étoile.

– Eu saí do Brasil sem olhar para trás porque tinha uma oportunidade de uma vida melhor. No Maranhão, eu poderia trabalhar vinte anos e não daria para comprar sequer um carro – explica Clayton, de 32 anos, hoje no futebol do Qatar.

Curiosamente, foi da mesma conexão maranhense que surgiu um caso anterior de jogador naturalizado: o atacante Luís Oliveira, que se naturalizou belga, tendo disputado a Copa de 1998. Com passagem por equipes italianas, destaque para a Fiorentina. Oliveira deixou o Brasil com menos de 18 anos, quando ainda estava nas divisões de base do Sampaio Corrêa, do Maranhão.

Apenas Santos entrou em campo na Alemanha. Clayton acabou fora, considerado um pouco velho demais para os planos da Tunísia.

MAZZOLA, ENTRE O ARREPENDIMENTO E O ORGULHO

Sem rodeios, José Altafini revela o conflito de sensações provocado por sua presença privilegiada na história do futebol: Mazzola, como ficou conhecido para o público brasileiro, é um dos cinco jogadores que já disputaram uma Copa do Mundo por duas seleções diferentes, prática anteriormente permitida pela Fifa. O paulista de Piracicaba, porém, é o único a ter sido campeão. Aos 19 anos, Mazzola disputou a Copa de 1958, na Suécia, participando de duas partidas e marcando dois gols na primeira campanha vitoriosa do Brasil. Pouco depois do torneio, foi vendido pelo Palmeiras para o Milan e, por conta da condição de oriundo e do sucesso inicial nos gramados italianos, foi convidado a reforçar a Azzurra na Copa de 1962. Na competição, disputou três das seis partidas pela seleção italiana antes de a Fifa baixar uma nova regra que obrigou o brasileiro a encerrar sua carreira em seleções, com apenas 24 anos.

– Cometi um erro muito grande e me arrependo de ter aceitado o convite da Federação Italiana. Mas eu era muito novo, não entendia muito bem o que estava fazendo. Senti-me muito pressionado a dizer sim para os dirigentes. Fico achando que perdi a chance de ter sido tricampeão mundial com o Brasil. Tinha condições de ter chegado até 1970, de jogar ao lado do Pelé – conta Mazzola.

O fato de o atacante só ter parado de jogar aos 42 anos já sustenta o argumento. Mas Mazzola também pode alegar que tinha talento para disputar uma vaga na seleção brasileira. Nas 18 temporadas passadas no futebol italiano com as camisas do Milan, Juventus e Napoli, ele não apenas conquistou quatro títulos nacionais e um europeu, como ainda se tornou o quarto maior artilheiro da história do Campeonato Italiano, com 216 gols. Teve de adotar o sobrenome Altafini, já que Mazzola era um apelido com base em sua semelhança física com Valentino Mazzola, um dos grandes ídolos do futebol italiano da década de 1940, mas ficou famoso, sobretudo depois de em 1979 tornar-se o primeiro ex-jogador a trabalhar como comentarista para a TV italiana.

Embora nunca tenha enfrentado a seleção brasileira, Mazzola testemunhou quatro jogos de Copa Mundo, incluindo as finais de 1970 e 1994 entre Itália e Brasil. Desconforto à parte, ele jamais teve dúvidas de qual lado escolher:

– Tenho muito orgulho do que consegui na minha carreira e na Itália. Mas mãe e time a gente não troca. Torço pelo Palmeiras e pelo Brasil e vou torcer enquanto viver.

No entanto, a decisão de jogar pela Itália rendeu a Mazzola muitas críticas. Diz ter sido chamado de traidor, sobretudo pela imprensa esportiva brasileira, e não esconde uma certa mágoa com tal recepção.

– Foi um bombardeio. Virei traidor, mercenário e nem imagino do que iam me xingar se eu tivesse jogado contra a seleção brasileira. O mais engraçado é que hoje um bando de gente tem dupla cidadania, especialmente jogador de futebol, e ninguém ataca – ressalta ele.

Mazzola se diz impressionado com o número de jogadores brasileiros que optaram pela naturalização e, embora não diga claramente, parece pouco entusiasmado com o fenômeno.

– Se fosse hoje, eu antes tentaria conversar com o treinador da seleção. Até porque tenho conhecimento de causa quando digo que isso pode resultar em melancolia, tristeza.

O campeão mundial certamente acredita que a vida hoje é muito mais simples para os jogadores que tentam a sorte no exterior, em especial por conta dos avanços em transporte e comunicações.

– Além disso, hoje você encontra produtos brasileiros em tudo quanto é lugar. Quando eu cheguei a Milão, não apenas precisei voar 27 horas, como ainda demorei uma semana para falar com Piracicaba. Saudade hoje é coisa de maluco – afirma ele, às gargalhadas.

O NEGÓCIO LUCRATIVO DAS TRANSFERÊNCIAS

Não apenas clubes, dirigentes e atletas lucram com a valorização do jogador brasileiro. A categoria dos empresários ou agentes responsáveis pela intermediação de transferências de jogadores e os eventuais *lobbies* com os dirigentes (tarefas não raramente recompensadas com gordas comissões) transformaram-se numa opção bastante concorrida, com um apelo que não se restringiu a ex-profissionais do futebol pouco atraídos por uma carreira como treinadores ou dirigentes. Um exemplo é a dupla formada por Alexandre Martins e Reinaldo Pitta, que ficou rica e famosa por causa de sua associação com

Ronaldo. Pitta é um ex-bancário que percebeu o potencial da administração dos interesses de jogadores durante uma visita casual ao São Cristóvão, clube que revelou o atacante três vezes eleito o melhor jogador do planeta.

Tanto no Brasil quanto internacionalmente, a regulamentação das atividades de empresários existe e, no caso de transferências internacionais, a Fifa só permite a atuação de agentes credenciados. Uma espiada no banco de dados da entidade revela uma estatística enfática do êxodo verde-e-amarelo: os 119 brasileiros da lista de "agentes Fifa" são um contingente menor apenas do que o de italianos (319), espanhóis (300), ingleses (292), franceses e alemães (136) – não por acaso, os representantes das cinco grandes ligas européias. O grande número de agentes não é explicado apenas pela vasta clientela em potencial, já que a mesma Lei Bosman, que deu aos jogadores mais poder no relacionamento com os clubes, também fortaleceu o papel do agente. Daí o argumento de que os atletas saíram das mãos dos cartolas para as dos empresários.

A história foi quase a mesma no Brasil com a Lei Pelé: o fim do passe fez com que clubes diminuíssem os investimentos nas categorias de base e estreitassem ainda mais a boca do já apertado funil de entrada no sonho do futebol profissional. Ter a proteção de um empresário surgiu como esperança de um tipo de acesso às equipes muito mais baseado em almoços com dirigentes em churrascarias do que nas tradicionais avaliações conhecidas como peneiras. Hoje, já há atletas da categoria infantil com representação. O aumento para os agentes não foi apenas de importância: a comissão cobrada dos clientes pode chegar a 50% nos casos de empresários mais gananciosos.

– Os agentes são um pouco incompreendidos e também estereotipados por causa da atuação de maus profissionais. Do jeito que o futebol é atualmente, em que o atleta, sobretudo o que vai para o exterior, precisa preocupar-se com uma série de coisas, dos treinos aos compromissos promocionais, um empresário ajuda o jogador a concentrar-se na bola – afirma Jean Gaspar, irmão e agente do meia Edu, ex-Corinthians, Arsenal (Inglaterra) e, hoje, no Valência (Espanha).

O problema é que mesmo a legislação tem brechas, aproveitadas por uma infinidade de intermediários entre jogadores e agentes credenciados que também sabem explorar a ânsia por sucesso de atletas e parentes. Gaspar conta que é procurado freqüentemente por representantes de jogadores e que já soube de diversos casos em que os direitos de negociação de determinado atleta foram garantidos por chuteiras ou telefones celulares.

– Aí que entra a responsabilidade dos clubes e dos jogadores de evitar os aventureiros, pois eles jamais serão capazes de prestar a assistência necessária aos atletas, principalmente os que se transferem para o exterior e têm muito mais preocupações. A responsabilidade deve ser de todos – completa Gaspar, que, em 2000, deixou a carreira de professor de informática para assumir os negócios do irmão. Na época, Edu quase perdeu a transferência para o Arsenal por causa de um passaporte português falso obtido inadvertidamente por intermédio do empresário anterior.

Gaspar também lembra que um empresário responsável pode ser a única defesa de um atleta contra eventuais arbitrariedades cometidas pelos clubes, situação que ele garante ser mais comum do que se imagina.

– Os clubes europeus não são bobos e já soube de casos em que jogadores foram mudados de casa para alojamentos sem aviso, por exemplo. O jogador não vai poder enfrentar o dirigente sozinho. Nós os ajudamos também a lutar por seus direitos, oferecemos um serviço. Você pode comprar sua casa sozinho, mas será que um corretor de imóveis não vai lhe ajudar muito mais para indicar locais, analisar o tipo de propriedade que seus recursos poderão pagar? O mesmo serve para os clubes, que mesmo com olheiros e meios de comunicação não são capazes de acompanhar todos os mercados profundamente.

O LADO DA FRUSTRAÇÃO

O eldorado pode ser miragem e o êxodo dos jogadores brasileiros também é marcado por histórias de finais infelizes ou mesmo trágicos, como no caso de Máximo, que morreu de frio e fome na Bélgica, em 1967, depois de fracassar em se estabelecer no futebol do país. Atletas com prestígio no Brasil e potencial para jogar em equipes fortes da Europa voltaram para casa frustrados: o atacante Edmundo é um dos exemplos recentes. E um sinal para lá de evidente de como uma transferência para o exterior não é um processo simples ou automático vem das próprias estatísticas da CBF: em 2005, 491 dos 804 jogadores que tomaram o rumo do aeroporto retornaram ao Brasil e, em alguns casos, esse caminho inverso foi tomado em massa: só de Portugal, retornaram 75 atletas, mais de 50% do número de saídas de 2005.

E, às vezes, não é só o dinheiro e as promessas não cumpridas que transformam uma proposta aparentemente tentadora em uma frustração profissional.

DENÍLSON – DE MAIS CARO DO MUNDO A UM TIME DE SEGUNDA LINHA, EM OITO ANOS

Em 1998, o paulista Denílson de Oliveira foi o mesmo que Robinho, em 2005. Ou mais. Meses antes de completar 21 anos, tornou-se o jogador mais caro do planeta, disputado pelos todo-poderosos Real Madrid e Barcelona. Parou no então desconhecido Real Betis com um contrato de dez anos de duração e cláusula de rescisão de US$ 400 milhões.

– Foi um erro. Dormi como jogador de destaque do São Paulo e acordei na Espanha como jogador mais caro do mundo, não sabia o que era isso – conta Denílson.

O atacante acha que não era maduro, pessoal e profissionalmente, quando trocou São Paulo por Sevilha, no sul da Espanha:

– Era impossível recusar aquela oferta, mas se o contrato fosse hoje, teria reagido de outra maneira. Só que me pegou muito jovem. Foi muito complicado. A pressão por ser o jogador mais caro do mundo pesou demais.

Mas a cobrança não foi apenas pelo valor do contrato: Denílson também sofreu em decorrência de seu estilo espontâneo e por tentar agradar a todos quando chegou à Europa.

– Ser alegre prejudicou-me muito. Você sorri e não o levam a sério. Quer ser legal com todo mundo e se dá mal, porque não respeitam você.

Outra queixa do pentacampeão mundial refere-se à mudança de estilo de jogo. Denílson foi contratado pelos dribles desconcertantes que dava quando atuava no Brasil. Ao desembarcar na Espanha, ouviu do técnico do Betis que não deveria fazer horas extras nos treinos (ficava ensaiando faltas e dribles) e que suas pedaladas seriam respondidas pelos rivais com dureza. "Pelo primeiro você vai poder passar, o segundo vai meter a perna e o terceiro vai quebrá-lo", chegou a advertir o treinador espanhol Javier Clemente.

– Apanhei muito nos jogos. Aqui na Europa o seu prestígio está em jogo a cada sete dias. No Brasil, corria para a frente. Na Espanha, aprendi a correr para trás para ajudar a defesa. No final, você acaba aprendendo, mas não vou mudar minha maneira de ser – diz Denílson.

Arrependido? Não exatamente.

– Aprendi as lições e tive a ajuda dos meus pais, que mantiveram meus pés no chão – pondera o jogador.

Com problemas de adaptação, Denílson chegou a ser emprestado ao Flamengo por um ano, em 2000, e, em 2005, foi negociado para o Bordeaux, da França. Saiu de graça ao clube francês, mas teve de se comprometer a ter seu salário de € 1,2 milhão reduzido. Jogar no Bordeaux não é lá uma boa opção para quem é pentacampeão mundial ou para quem já foi o jogador mais caro do mundo. Denílson, no entanto, não fala em arrependimento por ter-se ligado ao Betis mediante um contrato tão longo ou por estar praticamente esquecido no Bordeaux. Mesmo não tendo o desempenho desejado enquanto estava no time espanhol, continuou garantindo seu espaço na seleção, contabilizando 63 convocações na seleção principal entre 1996 e 2003. Agora, o atacante torce para conseguir voltar a um campeonato de maior expressão e estar de volta aos holofotes. E não parece disposto a medir esforços. No início de setembro de 2006, o jogador passou pelo constrangimento de se submeter a um teste no Portsmouth, pequeno clube da primeira divisão inglesa. Foi reprovado.

Enquanto espera a chance de voltar a brilhar, Denílson vai garantindo o lado financeiro. Depois de não conseguir uma vaga no futebol inglês, acabou se transferindo em setembro de 2006 para a Arábia Saudita, e acertando um contrato de € 1,2 milhão por ano com o Al Nasr.

DE MANCHESTER PARA ISTAMBUL

Quando saiu a lista de convocados para o Mundial de 2002, a presença do meia Kleberson foi uma das grandes surpresas. E o paranaense logo arrumaria espaço no time titular e, na final, recebeu elogios de várias partes do mundo por ter atuado como se estivesse numa pelada, não num tira-teima contra a Alemanha. O jogador, que abandonara o futebol aos 19 anos, desiludido com um salário mensal de R$ 60 e pressionado pela necessidade de ajudar no sustento da família, chamou a atenção dos clubes europeus e acabou tornando-se o primeiro brasileiro a vestir a camisa do Manchester United, o tradicional clube inglês que também é um dos mais ricos do mundo. Seu conto de fadas teve apenas duas temporadas de duração: Kleberson nunca se firmou na equipe, por mais que contasse com a admiração do treinador Alex Ferguson, e disputou apenas 28 partidas.

– Eu, que nunca tinha me machucado, sofri uma série de lesões praticamente desde a primeira semana no Manchester. Isso tornou praticamente impossível ganhar ritmo de jogo, ainda mais com um elenco tão cheio de bons jogadores para as posições do meio-de-campo. Eu e minha família também sofremos um pouco com Manchester, que é uma cidade muito estranha para quem nunca tinha vivido fora do Brasil. Sem falar que chovia o tempo todo...

Kleberson ficou agoniado com os contratempos em Manchester e cogitou uma volta ao Brasil – mais especificamente para o Corinthians, com as finanças vitaminadas pelos investimentos da MSI. O clube brasileiro fazia parte de um grupo de equipes interessadas que ainda incluía o Benfica, de Portugal. Mas o jogador acabou vendido ao Besiktas, da Turquia, única equipe que aceitou uma transação definitiva em vez de um empréstimo. Lá, Kleberson também teve problemas: o técnico Jean Tigana o chamava de preguiçoso por intermédio da imprensa. As coisas mudariam nos meses seguintes, mas os problemas fizeram com que Kleberson continuasse desaparecido da seleção, da qual já saíra ainda nos tempos de Manchester. No final da temporada de 2006, porém, ele já tinha caído nas graças da torcida e da comissão técnica do Besiktas, que ganhou a Copa da Turquia e terminou num honroso terceiro lugar no campeonato nacional. Ainda que lamentasse ficar fora do Mundial da Alemanha, o pentacampeão ao menos tem tempo de sobra para sonhar com uma volta à seleção antes da próxima Copa.

– Não me arrependo de nada. Aprendi muita coisa desde que saí do Brasil e sei que tenho condições de voltar à seleção e aos grandes clubes muito em breve.

HISTÓRIAS DE SUCESSO – TROPA DE ELITE

É fácil encontrar histórias de sucesso, principalmente entre as estrelas do futebol brasileiro no exterior. Quem vai dizer que Roberto Carlos, Ronaldo, Ronaldinho, Adriano, Kaká, Cafu não são exemplos de sucesso? Mas muitos brasileiros conseguiram o sucesso e a estabilidade econômica mesmo em times que não estão entre os de ponta, como é o caso do lateral-esquerdo Gilberto, do Hertha Berlim. Aos trinta anos, desfruta de prestígio e respeito, sem estar nas manchetes todos os dias.

Gilberto da Silva Mello está colhendo os frutos da boa fase. Após enfrentar sete meses de salários atrasados no Vasco e passar pelo Flamengo, Inter de Milão, Grêmio, Cruzeiro e São Caetano, foi para o Hertha Berlim. Na temporada 2004/05, atuou em 33 das 34 partidas da equipe no Campeonato Alemão, todas como titular. Com contrato até 2008, o jogador diz que recebeu a proposta do time da Alemanha com certo receio. Racismo, frio e problemas de adaptação atormentaram-no antes de aceitar a oferta.

– Fiquei preocupado com o racismo e assustado por causa do frio, de não poder andar na rua, ter dificuldade em me comunicar – conta o jogador.

Gilberto entrou em contato com Marcelinho Paraíba, seu companheiro no Hertha até meados de 2006. O colega deu boas indicações e afastou os pensamentos do lateral sobre a possibilidade de sofrer atos racistas. Tal como Gilberto, Marcelinho é negro, mas gozava de vida de celebridade. Na loja de produtos esportivos do Hertha, sua imagem sempre esteve em destaque. Em qualquer evento ligado ao Brasil realizado na cidade, lá estava Marcelinho como destaque. Em setembro de 2003, quando o presidente de honra do comitê da Copa da Alemanha, Franz Beckenbauer, falou sobre os preparativos para a competição – na ocasião do amistoso entre alemães e brasileiros –, Marcelinho era o convidado de honra.

A idade também pesou. Com 28 anos, Gilberto sabia que não dava para escolher muito. Aí, mudou para Berlim. O jogador confessa que no início foi difícil, principalmente por causa da língua, mas celebra o fato de não ter sido vítima de atos racistas.

– Estava tão obstinado a vencer que superei até o frio. Tive dificuldades para me comunicar no início, mas estudei e também recebi a ajuda de um tradutor – diz o jogador.

Agora, dois anos depois, gozando de prestígio na equipe, bem-adaptado e curtindo a vida em Berlim, só vê fatores positivos na troca. Com a experiência de quem já circulou por grandes times brasileiros, teve sucesso, mas muitos problemas – especificamente com a questão financeira –, Gilberto acredita que muitos jogadores não têm opção e precisam deixar o Brasil na primeira oportunidade, mesmo que para sumir do mapa. Na sua opinião, todavia, a melhor fórmula de fazer dinheiro e garantir seu nome no mercado é tentar disputar alguns campeonatos estaduais e brasileiros antes de deixar o país. O lateral considera quase impossível um jogador conseguir fazer uma carreira toda dentro de casa.

– São poucos os jogadores que ficam no Brasil por opção. Exceções. Dá para contar nos dedos casos como o do goleiro Rogério Ceni, do São Paulo; do Sílvio Luís, do São Caetano. Não é só o dinheiro que leva as pessoas a sair, mas o fato de que muitas vezes os clubes prometem e não cumprem.

No futuro, Gilberto quer usar tudo o que aprendeu em suas andanças pelo Brasil e a nova experiência na Alemanha. O jogador pretende transformar-se em um consultor de futebol. Aquela pessoa que chega em um clube, olha as necessidades, indica e cria oportunidades, reorganiza. Além disso, acha que os estádios precisam modernizar-se. O lateral usa como exemplo um jogo pela Taça Libertadores, em 2003, entre o Grêmio e o Pumas, do México. Gilberto disse ter ficado surpreso com a estrutura do estádio do time adversário, que tinha até telões.

– Quantos estádios no Brasil hoje têm telões? – pergunta o lateral. – Quero passar minha experiência para os clubes e jogadores. Os clubes no Brasil precisam aprender a chamar os torcedores para o estádio, atrair o público e, para isso, necessitam arrumar a casa. O estádio deve apresentar atrações; a área VIP precisa oferecer conforto a quem quer pagar mais caro. Os torcedores devem ser seduzidos a ir ao estádio e ver a partida de futebol e mais um pouco. Aqui, a pessoa vai à área VIP, come, bebe e está tudo incluído. Se o jogo não é lá tão interessante, cria um espetáculo. Ir ao estádio tem de ser como ir a um espetáculo – explica o futuro consultor.

JUNINHO, FRED, CRIS E CAÇAPA – O DOMÍNIO BRASILEIRO NO PENTACAMPEÃO FRANCÊS

O futebol francês sempre esteve entre os de maior destaque, mas, há alguns anos, um jogador que brilhasse no Campeonato Francês daria um jeito de arrumar um lugar na Espanha ou na Itália, sonho de consumo da maioria dos jogadores. O panorama, porém, vem mudando, e a liga francesa tornou-se mais atraente e mais respeitada, deixando de ser um trampolim e passando à posição de competição de elite. Um jogador pode brilhar e fazer carreira sem ter que reafirmar seu talento em outros países. Esse é o caso do atual time do Lyon, pentacampeão francês e, desde 2001, na Liga dos Campeões.

O time conta com quatro brasileiros: Cris, Cláudio Caçapa, Fred e Juninho Pernambucano. Desse grupo, o mais famoso é Juninho, considerado o melhor jogador em atividade na França. O último a chegar foi Fred, que brilhou nas partidas em que jogou – até porque ficou no banco em várias oportunidades. Destacou-se tanto que acabou conseguindo uma vaga entre os convocados para o amistoso da seleção brasileira contra os Emirados Árabes, em Abu Dhabi, em novembro de 2005. Já existia um clamor em torno do nome de Fred, que vinha se destacando na equipe francesa. E o jogador não decepcionou, arrancando elogios do técnico Carlos Alberto Parreira e uma vaga na Copa da Alemanha.

Mas o início não foi assim tão simples. Estrela no Cruzeiro, Frederico Chaves Guedes não esperava uma proposta da França. Estava de olho na Espanha, "um futebol mais parecido com o do Brasil", explicou o jogador. Mas quando recebeu o convite do Lyon, oferecendo-se a pagar os salgados € 15 milhões pelo passe do jogador estipulado pelo time mineiro – aliás, o único clube que aceitou sem barganhar o valor –, o atacante parou para pensar.

– Eu liguei para o Cris, que me disse que a vida em Lyon e o clube eram muito bons. O time estava bem, iria disputar a Liga dos Campeões e não tinha por que não aceitar o convite.

Fred confessa que, apesar do suporte dos outros brasileiros, o início mostrou-se complicado. Além das dificuldades com a língua, jogar no gelo era algo desconhecido. Sem contar que saiu de Belo Horizonte esperando ser titular absoluto do campeão francês, o que não aconteceu.

– Estava nevando, vivia escorregando. Era diferente demais. Estava acostumado a jogar com temperaturas de 38ºC. Era tanta neve que chegava a sentir dor de frio – conta o atacante.

Fred chegou a Lyon no início de setembro de 2005 e demorou mais de seis meses para conseguir a posição de titular. No final da temporada, já era considerado pela imprensa européia uma promessa de ídolo brasileiro.

Fred é um bom exemplo do que a crise financeira vivida pelo futebol brasileiro vem fazendo com os próprios clubes. Os jogadores querem um time no qual recebam salários e consigam fazer carreira, e os clubes já não conseguem manter os jogadores. O próprio jogador assume que conversou com o presidente do Cruzeiro para receber um reajuste e esperar mais um pouco. O cartola disse que não tinha como mantê-lo no time.

– Sinceramente, não tem mais como um time segurar um jogador por muito tempo. Não tem como competir. Se você perguntar aos jogadores, eles vão dizer que sonham com uma chance na Espanha, na Itália, um salário que garanta a independência financeira. Eu acho muito difícil alguém ficar no Brasil.

E a mudança já garantiu a Fred realizar um sonho. Mineiro de Teófilo Otoni, queria reunir novamente os irmãos e o pai, que se espalharam pelas casas de parentes, trabalhando em cidades diferentes, desde a morte da mãe. A primeira providência após o acerto com o Lyon foi comprar um bom apartamento em Belo Horizonte e reunir toda a família na mesma casa.

– Está todo mundo junto. Graças a Deus e ao futebol.

Com contrato de quatro anos, Fred, de 22 anos, só quer saber de se destacar no Lyon, uma maneira de começar a sonhar com passos mais largos, "um Barcelona ou Real Madrid".

DA SUSPENSÃO A UM CONTRATO COM O LYON

Cris estava esperando amargar uma suspensão de seis meses no Cruzeiro, em razão de uma briga em campo que resultou em expulsão, mas acabou escapando da pena e mudando para Lyon. Cristiano Marques Gomes, de 28 anos, acredita que sua atuação na seleção brasileira durante a vitoriosa participação na Copa América de 2004 pesou muito na sua contratação pelo time francês, naquele mesmo ano. Na ocasião, o Lyon estava à procura de um zagueiro, pois tinha perdido Edmílson para o Barcelona.

A chance surgiu numa partida entre Cruzeiro e Corinthians, no Pacaembu, em que fez uma boa atuação. No estádio, estavam dirigentes do Lyon para ver o zagueiro. O resultado foi um convite para um almoço, o início das negociações e a assinatura de um contrato de cinco anos. A adaptação parece ter sido mais fácil do que com Fred. Cris atribui o fato a uma experiência anterior no Bayer Leverkusen, da Alemanha, onde ficou apenas cinco meses, voltando ao Brasil por não se adaptar. Cris diz que foi uma conjunção de fatores que colaborou para o insucesso dessa primeira tentativa de jogar no exterior. O time já contava com três brasileiros – Juan, Lúcio e França –, mas estava mal no campeonato, correndo o risco de ser rebaixado. É claro que o clima não era lá dos melhores. Tratava-se de um empréstimo por cinco meses, com opção de compra do passe pelo time alemão. O jogador e tampouco o time quiseram concretizar o negócio e Cris voltou ao Brasil.

– Aqui não é tão difícil. Lyon é uma cidade linda, a segunda maior da França, e tem um centro gastronômico maravilhoso. Além disso, os moradores são carinhosos e atenciosos. E o clube lhe dá tudo, faz de tudo para você adaptar-se – elogia o jogador.

Cris ainda ressalta a boa relação com os torcedores e o dia-a-dia em Lyon:

– Na Europa você vive. Tem segurança, pode sair para a rua; não precisa preocupar-se em encontrar um torcedor que, por causa de uma derrota, vem te xingar, bater – comenta.

Mesmo com os problemas internos, Cris assume que gostaria de terminar a carreira no Brasil, mas que não seria nenhum problema continuar atuando na Europa ou mesmo no Lyon. Como prova disso, comprou uma casa na cidade e quer ver a filha recém-nascida falando um belíssimo francês.

O PRIMEIRO BRASILEIRO A SER CAMPEÃO INGLÊS

A chegada a Londres foi tão esperada como desastrosa. Os jornais anunciaram aos quatro cantos que o Arsenal havia comprado o meio-campo Edu Gaspar, do Corinthians, um dos destaques da equipe, por £ 6,5 milhões, mas o negócio esteve a ponto de não se concretizar. Apesar de estar na mira do técnico Arsene Wenger, Edu só poderia ser contratado caso tivesse passaporte europeu, pois não cumpria os requisitos para obter visto de trabalho. O jogador desembarcou no aeroporto de Heathrow, em Londres, e foi deportado. Motivo: os oficiais da imigração constataram que o passaporte português de Edu era falsificado.

A notícia caiu como uma bomba tanto para o clube e a imprensa local como para o jogador, que acreditava na autenticidade do documento em razão de sua ascendência portuguesa. Voltou ao Brasil e seu empresário, Juan Figer, disse que a situação seria resolvida. E foi. Edu, enfim, pisou em solo londrino, apresentou-se em Highbury e transformou-se em estrela nos cinco anos seguintes, garantindo até mesmo espaço na seleção brasileira.

Na ocasião, apenas um brasileiro atuava no Arsenal, o lateral Sylvinho, que assinara contrato por ter o passaporte português, mas cuja veracidade vinha sendo contestada e investigada. O jogador deixou o clube antes mesmo das investigações estarem concluídas. Hoje, é um dos brasileiros do Barcelona. O clube também estava interessado no passe do zagueiro Edmílson, todavia as negociações não caminharam porque o jogador não conseguiu obter visto de trabalho na Inglaterra.

Edu não pensou duas vezes quando recebeu a proposta do time inglês. Além de oferecer um preço alto pelo passe do jogador, o salário parecia irrecusável. Se fossem verdadeiras as informações que a imprensa britânica publicou na ocasião, o time de Highbury ofereceu um salário semanal de £ 20 mil, enlouquecedor para qualquer um que estivesse no Brasil.

– Sempre quis sair do Brasil, aprender línguas, conhecer novas culturas. Sempre via isso de forma bastante positiva. Por isso, adaptei-me superbem, aprendi o idioma e tive uma ótima experiência no Arsenal – diz Edu, que deixou Londres em 2005 e aceitou uma proposta do Valencia, da Espanha.

O meia tornou-se figura-chave no time e conquistou um título inédito entre os jogadores brasileiros: o de campeão inglês em 2001/02. Em 2003/04, o time já contava com o meio-campo Gilberto Silva, que chegou ao clube após a conquista do pentacampeonato com a seleção brasileira.

Mesmo tendo saído do Brasil com apenas 21 anos, Edu acha que os jogadores, apesar da crise que os clubes atravessam, precisam analisar bem as propostas, principalmente as de curto prazo. Para o meia, um contrato de um ano tem que ser bem remunerado, já que pode não dar certo e o jogador corre o risco de ficar desempregado.

– Os brasileiros estão deixando o país cada vez mais cedo por culpa dos mercados emergentes, que criam um novo campo de trabalho. Por isso, precisam prestar atenção nos contratos. Mas o caminho é esse mesmo. Os clubes no Brasil não têm dinheiro para manter os jogadores e a alternativa é sair – completa Edu.

Ele compactua com a mesma linha de pensamento do lateral Gilberto, do Hertha Berlim, de que o futebol precisa ser um espetáculo, e o Campeonato Brasileiro, mais atraente e mais organizado. Para o jogador, o Brasil “ainda está engatinhando" em termos administrativos nessa área, o que contrasta com a boa imagem de futebol de qualidade que se criou em torno do futebol verde-e-amarelo. E, dentro dessa estrutura ainda com aspecto amador em comparação ao que se vê em clubes europeus, Edu assume que nem pensa em voltar a atuar no Brasil, nem mesmo para terminar a carreira. Ele acha que na Europa tanto a imprensa como o público em geral respeitam mais o jogador quando ele já está no fim da carreira, sem as cobranças feitas a um jogador de vinte anos.

Infelizmente, uma lesão no joelho afastou Edu de mais da metade da temporada espanhola de 2005/06 e, por conseqüência, tirou-lhe a chance de disputar o Mundial da Alemanha.

FAMA DEPOIS DO PENTACAMPEONATO

O meia Gilberto Silva foi outra das cartas na manga de Luiz Felipe Scolari na conquista do penta, ainda que tenha precisado contar com a infelicidade de um acidente com o titular Emerson para tornar-se um dos três jogadores a estar em campo por noventa minutos em todas as partidas disputadas pelo Brasil no Mundial da Coréia do Sul e do Japão. Também fez parte do trio de jogadores brasileiros entre os 11 titulares.

O título mundial logo tirou Gilberto do Brasil. O destino foi o Arsenal e a correria do futebol inglês. O mineiro já chegou causando uma boa impressão, marcando o gol da vitória do clube londrino no amistoso de abertura da temporada de 2002/03 contra o Liverpool e, na Liga dos Campeões daquele ano, fez contra o PSV o gol mais rápido da história da competição. Acima de tudo, conseguiu vencer uma timidez crônica para adaptar-se a uma rotina muito diferente da vivida em Belo Horizonte.

– Tudo era muito diferente, especialmente a comida. Mas tive a sorte de ter o Edu para me ajudar com a adaptação, sem falar que o Arsenal é um clube com uma estrutura espetacular. Havia, também, muita expectativa por causa da Copa do Mundo – lembra o jogador.

Gilberto superou esses obstáculos sem grandes problemas, e mesmo seu horror à culinária britânica em nada se comparou à lesão na coluna, que o deixou fora de quase toda a temporada 2004/05 e chegou a levantar dúvidas sobre sua carreira. Hoje, porém, Gilberto é um dos líderes de uma equipe que investiu pesado nos jogadores mais jovens. E já não reclama tanto do tempo chuvoso da capital inglesa.

KAKÁ, O SUCESSO NO MILAN APESAR DAS CRÍTICAS NO BRASIL

A transferência do meio-campo Kaká para o Milan foi uma das mais badaladas envolvendo a recente geração de talentos brasileiros, mas também provocou muitas críticas. Houve quem fosse contra o que parecia uma saída precoce do jogador do São Paulo para a Itália, em especial para um dos grandes times da Europa. O jogador não concorda.

– Não acho que tenha sido precoce, talvez digam isso pela minha idade na época, mas tenho certeza de que foi na hora certa. Estava maduro para tomar a decisão correta. Infelizmente, o futebol brasileiro não tem como segurar os jogadores por muito tempo; quem sabe no futuro isso seja possível, mas ainda estamos numa grande desvantagem – afirma o meia, um dos jogadores mais elogiados do futebol europeu.

Kaká surpreendeu até quem via com mais otimismo sua ida para o futebol italiano, marcando gols importantes e tornando-se titular da milionária equipe milanesa. O meia, porém, faz questão de prestar tributo ao pioneirismo de outros compatriotas que passaram pela Itália:

– Acredito que a vida no exterior, pelo menos na Itália, hoje em dia, é muito mais simples para o jogador que chega, especialmente depois de tantos brasileiros já terem passado pela série A do Campeonato Italiano. Eu fui muito bem recebido não só pelos brasileiros, mas por todos do clube, e isso facilitou a minha adaptação. Acho que isso depende muito do jogador, que deve vir à Europa disposto a adaptar-se. Em todos os países há muitos brasileiros, mas isso não garante uma boa adaptação.

Kaká discorda do argumento de que a presença de praticamente todos os jogadores da seleção brasileira no exterior deixa "órfãs" as novas gerações de torcedores brasileiros:

– Não vejo a coisa dessa maneira, pois nossos jogos passam mais no Brasil do que os jogos de muito time grande por aí. As pessoas nos acompanham e torcem por nós a distância. Não acho que seria mais conhecido se estivesse jogando no São Paulo ainda. Minha camisa do Milan no Brasil vende mais que a totalidade de um grande clube brasileiro patrocinado pela mesma empresa. Isso responde bem a essa pergunta. Sempre que estou por aí, vejo crianças com a minha camisa e isso me deixa muito feliz. Por não ser um time com torcida fanática no Brasil, todos podem me admirar, não só os torcedores de um clube – argumenta Kaká.

ROBINHO, CRISE E DESESPERO PARA DEIXAR O BRASIL

Robson de Souza chegou ao Real Madrid não só como o jogador galáctico da vez (um por ano desde 2000 com Figo, Zidane, Ronaldo, David Beckham, Michael Owen...), mas com dois estigmas de peso: o de acabar com o jejum de cinco temporadas sem títulos no clube mais premiado do mundo (de acordo com a Fifa) e de ser o autêntico herdeiro do trono de Pelé.

Das oito mil pessoas que foram ao estádio Santiago Bernabéu ver a sua chegada, muitas haviam ouvido a insistente definição da imprensa e dos cartolas espanhóis: o príncipe da Vila Belmiro é o sucessor do Rei do Futebol. Com os pés na terra, o craque tentou diminuir a tensão e as expectativas em torno de sua contratação:

– É muito difícil que alguém chegue aonde ele chegou; Pelé é incomparável. O que eu tenho igual a ele é que joguei no Santos e sou preto [risos]!

Depois de meses da novela em que se transformou a negociação entre o Real Madrid e o Santos, Robinho foi vendido em 2005 por € 24,5 milhões, o equivalente a 60% do preço do passe estipulado até então pelo Santos. A pressão externa falou mais alto.

– Foi o único jeito. O Santos não queria me soltar e eu achava que era minha hora de sair, não teve outro jeito – contou o jogador.

O Real Madrid depositou na CBF o valor acordado e Robinho acertou diretamente com os espanhóis para receber mais tarde a parte dele – o restante que lhe pertencia como dono parcial do passe.

– Saí porque era minha oportunidade. Infelizmente o futebol brasileiro não tem condições de igualar as ofertas da Europa. Além disso, qual jogador no mundo vai dizer não ao Real Madrid? – explica Robinho.

Robinho teve de agüentar a pressão no Brasil (até o presidente Luís Inácio Lula da Silva pediu para que ficasse), mas não perdeu a confiança de que sua vontade de brilhar no exterior seria cumprida. Chegou a recusar-se a treinar. A novela Robinho-Santos-Real Madrid virou manchete nos principais jornais esportivos do mundo. O assunto era motivo de discussão em todos os cantos.

– Não tinha outro jeito, mas no final acabou tudo bem, todo mundo me entendeu e saí do Santos como queria, com o carinho da minha torcida.

Pesaram as chances de brilhar em um dos melhores campeonatos da atualidade e também o medo de perder uma oportunidade considerada imperdível.

– Se não for numa Copa do Mundo, quando você tem a chance de jogar ao lado do Zidane, do Beckham, dos melhores do mundo, atuando no Brasil? – argumenta o jogador.

A crise familiar causada pelo seqüestro de sua mãe, que ficou em cativeiro por quarenta dias, e a possibilidade de seguir os passos de outros brasileiros como Romário, Rivaldo, Ronaldo e Ronaldinho Gaúcho – todos eleitos número um do mundo – deixaram Robinho ainda mais determinado a fazer as malas e trocar Santos por Madri.

– Claro que sonho com isso [em ser o melhor do mundo]! Mas ainda tenho muito que crescer aqui na Espanha. Os títulos coletivos vêm primeiro e os individuais são uma conseqüência – diz Robinho. Ele confessa que só não esperava uma adaptação tão difícil.

– Está sendo muito mais duro do que imaginava. É tudo muito diferente, é um mundo completamente novo para mim. Mas acho que é uma questão de tempo. Sei que outros jogadores passaram por isso, já conversei com muita gente e o que estiver nas minhas mãos vou fazer.

E o que está nas mãos do atacante em busca de maior destaque é ganhar massa muscular. Robinho ouviu críticas por ser franzino. Jogou pelo lado direito, quando seu lugar natural é o esquerdo. Foi reserva. O jogador reclama, mas sem querer criar polêmica.

– Não entendo, mas não vou dizer nada. Nunca perguntei por que sou titular, não vou perguntar quando for para o banco. Nunca tive problemas com técnico nenhum, não vai ser agora. Estou aqui para ajudar o Real Madrid no que puder.

Para ajudar na adaptação à Espanha, chegaram a Madri os pais e a namorada do atacante. No campo, houve o apoio e a proteção dos veteranos brasileiros, como Roberto Carlos, que chegou a impedir Robinho de bater um pênalti durante uma partida. É que Robinho já havia perdido um no mesmo jogo e o lateral-esquerdo, temendo a possibilidade de um novo erro, tirou a bola das mãos do "afilhado", que, como bom discípulo, aceitou calado. Sabia que era para o bem dele.

O atacante, por mais que esteja feliz com a mudança tão desejada, assume que estranha a falta do carinho da torcida do Real. Acostumado a ser o xodó dos santistas, Robinho chegou a pedir com os braços para que a torcida se agitasse mais nas arquibancadas do estádio Santiago Bernabéu. Não obteve resposta. Nem sabem o que é isso.

– É... [Silêncio.] Cada torcida é de um jeito, né? Eu gosto de ter os torcedores em cima, gritando o tempo todo, me motiva. Mas aqui é diferente. Vou ter que me acostumar a isso também.

Robinho encontrou o Real Madrid em crise e, como o restante do time, percebeu que por mais talento e pedaladas que desse, não era fácil resolver a situação. Então, será que

Robinho não poderia ter esperado passar a Copa do Mundo da Alemanha para aceitar a proposta do Real, como queria o presidente do Santos? Robinho responde imediatamente:

– Não. A minha hora foi a que foi. O clube passa por um mau momento, mas antes ou depois isso vai acabar. Não me arrependo de jeito nenhum. Fiz a escolha certa e estou feliz por isso. As minhas maiores alegrias aqui ainda vão chegar.

OS MERCADOS EXÓTICOS

Se você está no Brasil, jogando a sua bolinha e alguém chega para você e dispara: não quer jogar no Azerbaijão? Bem, o que parece até piada tornou-se realidade para muitos brasileiros. Aliás, o precursor foi o capitão da Copa de 1970, o agora técnico Carlos Alberto Torres, que dirigiu a seleção do país. E, por meio do "capita", muitos chegaram à ex-república soviética, localizada entre a Rússia e o Irã.

Sem tradição do futebol, o Azerbaijão é um país praticamente desconhecido para a maioria dos brasileiros. Mas há quem esteja fazendo seu pé-de-meia por lá. É o caso de Eduardo Ladaga, de trinta anos. Carioca de Jacarepaguá, na Zona Oeste da cidade, começou jogando nas categorias de base do Vasco. Como profissional, passou pelo Madureira, Olaria, América e teve uma passagem rápida pelo Napoli da Itália. Quando estava no América é que surgiu a chance de se transferir para a república do Cáucaso.

– O técnico Carlos Alberto Torres falou-me da possibilidade de jogar aqui, disse que era legal, um bom lugar para morar, viver. Aí, aproveitei a chance e não me arrependo – afirma Eduardo, que deixou mulher e filha no Rio e embarcou para a Europa sozinho.

Apesar de assumir que o futebol no país ainda é muito amador, Eduardo ressalta as qualidades que hoje se tornaram raras no futebol brasileiro:

– Aqui tudo é correto. Os salários são pagos em dia. Tenho a minha casa paga, nada atrasa. Nisso, eles são superprofissionais – garante o jogador.

Eduardo, do FC Baki, foi um dos primeiros brasileiros a chegar para jogar nos campos azeris, em 2004. E caiu nas graças dos dirigentes, tanto que já lhe foi oferecida até mesmo a chance de se naturalizar.

E financeiramente é melhor do que se pode imaginar. Pelo menos no caso de Eduardo. O jogador diz que as premiações por uma vitória giram em torno de US$ 3 mil e US$ 4 mil. Com um salário de cerca de US$ 6 mil mais premiações, Eduardo Ladaga já conseguiu comprar um bom apartamento e sempre estuda novos investimentos.

Como ainda tem mais um ano de contrato e pretende ficar pelo menos mais dois, o jogador já está pensando em levar a família para viver com ele.

– Tenho um apartamento novo aqui e acho que a minha filha de seis anos teria a chance de aprender inglês, estudando em uma escola internacional – conta o jogador.

Eduardo confessa que encontra dificuldades em se comunicar. O que faz é misturar russo, inglês e o pouco de azeri que aprendeu. Com isso, acaba conseguindo ir às lojas, sair à noite e viver, nem que seja um pouco, a vida local.

O jogador está feliz com essa chance de jogar no Azerbaijão. Graças a ela, já sonha com investimentos e a oportunidade de abrir algum tipo de negócio ligado ao futebol quando se aposentar, além de pensar em fazer uma faculdade de Educação Física. Para quem nem sabia da existência desse país, até que os resultados estão para lá de promissores.

Nove brasileiros atuam lá. Mas, surpreendentemente, os jogadores de futebol de campo não são os primeiros brasileiros a jogar bola no Azerbaijão. Os jogadores de futebol de salão chegaram primeiro e estão espalhados em vários países da região. Só com a chegada do técnico Carlos Alberto Torres é que o mercado do futebol de campo abriu-se para os brasileiros.

Em 2005, cinco brasileiros chegaram ao Azerbaijão para jogar. Para quebrar o gelo das dificuldades causadas pela língua, eles contam com a ajuda do intérprete Teymúr Kerimov, o que facilita principalmente o contato com os treinadores e outros jogadores. Tima, como é conhecido, interessou-se pela língua lusa justamente para ajudar os jogadores de futebol de salão, em 2002. Como sabia francês, familiarizou-se logo com o português, auxiliado, no dia-a-dia, pelos próprios jogadores, pelos livros e pela Internet.

COM A ROUPA DO CORPO – DA ITÁLIA PARA A ESLOVÊNIA

As histórias são parecidas. Jhonnes Marques de Souza e Wilson Aparecido Xavier Junior saíram de Londrina para uma excursão do juniores pela Itália em 2004 e nunca mais voltaram. Ficaram na Europa com a roupa do corpo e com a promessa de contrato e um início de carreira mais promissor do que o de jogador profissional do Londrina, com salário mensal em torno de R$ 1 mil.

Os dois jogadores tinham acabado de passar para o time profissional do Londrina, mas não haviam assinado contrato; ainda estavam na categoria de juniores, ganhando uma média de R$ 400,00 por mês. Quando surgiu a excursão pela Itália, eles não pensaram duas vezes: essa poderia ser a chance de chamar a atenção de algum empresário e conseguir um contrato na Europa.

Juninho Aparecido, como é chamado, foi para o Chievo. O clube garantiu que o contrataria se ele conseguisse em seis meses o passaporte alemão. Enquanto isso, ficaria adaptando-se à vida e ao futebol italiano.

– Parecia um sonho – como explicou o jogador. Contrato na Europa e uma promessa de algo em torno de € 5 mil. Em um período de seis meses, o jogador, então com 19 anos, não recebeu salários, só uma ajuda de custo que garantia as despesas básicas e a comida.

Mas o muito esperado passaporte não saiu no prazo estipulado e a proposta foi retirada. Para não voltar ao Brasil e deixar para trás o sonho de jogar na Europa e conquistar um bom contrato e a tão sonhada independência financeira, Juninho aceitou jogar na Eslovênia, no NK Domzale.

– Aqui é bem melhor do que no Londrina. Tenho casa, salário em dia – explica o jogador, que recebe quatro vezes o que ganharia no Brasil.

O início foi difícil. Além das dificuldades com o idioma, Juninho enfrentou temperaturas de até 15°C negativos, todavia, aos 22 anos, mostra-se sempre otimista:

– Muitos empresários buscam jogadores em países aqui do Leste Europeu porque são mais baratos. Essa é a minha esperança. Espero conseguir um contrato na Ucrânia, Rússia ou pelo restante da Europa. Se o passaporte alemão sair, vai ficar mais fácil – diz Juninho.

Se conseguir destacar-se ou mesmo se obtiver um contrato melhor, Juninho vai fazer parte da legião de jogadores que os brasileiros pouco ou nunca viram jogar dentro do país. Com a camisa do Londrina jogou apenas cinco partidas pelo Campeonato Paranaense e na Copa do Brasil.

– Só sou conhecido na minha cidade porque sabem que estou na Europa – brinca o jogador.

Jhonnes chegou à Itália no mesmo grupo que Juninho e, em vez de Chievo, foi parar na Udinese. Com o mercado fechado para inscrições de novos jogadores, porque as competições nacionais estavam em andamento, e também à espera de um passaporte alemão (os bisavós eram alemães), Juninho ficou treinando no clube, mas também acabou não sendo contratado e foi rever o colega de Londrina na Eslovênia.

O contrato de Jhonnes com o NK Domzale acaba em março de 2007 e ele está otimista em conseguir alguma proposta de um clube da Europa Ocidental.

– É um país que não tem muita divulgação, mas é uma boa vitrine. Os empresários vêm aos países pequenos em busca de jogadores bons e baratos.

Até agora, além da experiência profissional, Jhonnes diz que ter ficado na Itália e estar vivendo na Eslovênia servem de aprendizado.

– Você aprende a ser mais responsável na vida e no futebol. Fiquei assustado no início, mas agora já me adaptei, comenta o jogador de 22 anos, que vive sozinho na capital da Eslovênia e visita o Brasil uma vez por ano.

OS GÊMEOS QUE TROCARAM NOVA IGUAÇU PELA INDONÉSIA

Kleber e Cristiano dos Santos Prazeres, de 29 anos, encontraram na Indonésia a chance de fazer o pé-de-meia. Conhecido pelo turismo, pelos preços baixos e por ser o maior país muçulmano do mundo, a Indonésia está bem longe de representar uma potência no futebol ou mesmo uma possível vitrine. Mas isso parece não importar. O fundamental é que lá as coisas básicas funcionam e não há atrasos de salários, o atual pesadelo na vida dos jogadores que atuam no Brasil.

– Aqui o mês tem trinta dias – Kleber faz questão de ressaltar.

O jogador, que partiu antes do irmão, chegou em 2001, por intermédio de um antigo treinador. Kleber explica que a adaptação foi um pouco complicada, mas em alguns meses já conseguia comunicar-se em indonésio. Antes disso, contava com a ajuda de um chileno para conversar com o restante do time.

Desde 2002 defende a camisa do Persela Lamongan, que fica em Surabaya, no leste da Ilha de Java e a vinte minutos de avião da paradisíaca Bali. O time conta com cinco estrangeiros. Todos brasileiros.

– Dá para fazer um pé-de-meia. Consegui comprar a minha casa e um carro no Brasil. Tudo graças ao Persela. No Brasil, mal dava para as contas. A vida aqui é muito barata. Com cinqüenta centavos você consegue fazer uma refeição – conta o jogador, que mora com a mulher e a filha e ganha R$ 5 mil.

Kleber está feliz e não quer deixar a Indonésia.

– Se deixarem, fico aqui mais uns dez anos – diz o zagueiro. Em Surabaya, jogam oito dos cerca de trinta brasileiros que atuam naquele país. O grupo sempre se reúne para ir ao *shopping*, almoçar ou fazer um churrasco. Natal e Ano-Novo, se estão na Indonésia, é festa brasileira.

O irmão Cristiano, também zagueiro, mora a uma hora de Surabaya. Chegou à Indonésia em 2003 e também não pretende voltar ao Brasil tão cedo, só de férias. Os jogadores nasceram em Nova Iguaçu, na Baixada Fluminense, onde vivem os pais e mais quatro irmãos.

APROVEITANDO A MORDOMIA DO SULTÃO

Quatro meses sem contrato e depois R$ 1,3 mil em um time da segunda divisão do Campeonato Paranaense. De repente, um convite do seu agente: US$ 4 mil por mês durante um ano, mais US$ 500 de prêmio por vitória ou empate. Essa fortuna, comparada ao salário minguado que recebia no Brasil, foi o que o curitibano Rodrigo Antônio Lombardo, de 23 anos, embolsou a partir do final de 2005, quando deixou o Sul do Brasil rumo à minúscula ilha de Brunei Darussalam para defender a camisa do DPMM FC.

A mesma proposta de Rodrigo foi feita ao paulista Thiago dos Santos, ao camaronês Mathew Mbuta e ao croata Rene Komar. Resultado: os quatro estão praticamente isolados na ilha, que vive sob restritas normas muçulmanas – sem álcool, danceterias ou festas –, mas com um dinheiro no bolso que até então nunca tinham recebido. Rodrigo faz questão de dizer que muitas vezes o salário sai até adiantado. Parece um sonho!

O time está participando da Liga da Malásia, país vizinho e com o futebol mais estruturado. Para os jogadores, é a oportunidade de deixar a ilha e olhar algo diferente. Mas o isolamento e a vida calma de Brunei não estão incomodando Rodrigo. Toda essa mordomia deve-se ao fato de o presidente do clube ser o sultão Haji Hassanal Bolkiah, um dos homens mais ricos do mundo.

– Vou treinar e volto para casa, vou a um *cybercafe* navegar na Internet e, às vezes, à praia. O calor é muito forte – diz o jogador.

Os quatro estrangeiros vivem no mesmo bloco de apartamentos e acabam reunindo-se com freqüência. Apesar das diferenças culturais, Rodrigo afirma que não tem o que reclamar do time e nem mesmo das pessoas. Chegou à ilha em novembro de 2005, mas passou apenas duas semanas. Como era o Ramadã – período de trinta dias que marca o mês sagrado dos muçulmanos e respeita-se uma rígida abstinência durante o dia: é proibido comer, beber, fumar e fazer sexo sob a luz do dia –, acabou voltando para o Brasil e retornando no mesmo mês.

– Não tinha nada. Não tinha comida. Fui para o Brasil esperar o fim do Ramadã – conta o jogador.

Mas nem só de dinheiro vive o jogador brasileiro. O sonho da Europa está falando mais forte no coração do jogador. De origem italiana, está com os papéis de pedido de cidadania em andamento desde 2002. Mas agora a esperança aumentou ao receber a notícia de que uma tia que está na Itália já conseguiu seu passaporte vermelho tão cobiçado. Com isso, suas chances são ainda maiores e o jogador já está pensando em voar de Brunei direto para a Itália, após o término do seu contrato. A expectativa é resolver os problemas legais e arrumar um clube.

Mesmo sabendo que muitos times europeus não oferecem uma proposta financeira como a do pacato mas milionário clube de Brunei, Rodrigo está mais do que tentado a correr atrás do sonho de atuar na Europa.

O SUCESSO LONGE DOS HOLOFOTES

RAFAEL SCHMITZ: NA LIGA DOS CAMPEÕES SEM PASSAR POR UM BRASILEIRÃO

O zagueiro nunca pensou em sair do Brasil tão rápido. Aos vinte anos, deixou o desconhecido Malutrom, de Curitiba, sem ter sequer disputado um Campeonato Brasileiro, e foi parar na cidade de Lille, na França, fronteira com a Bélgica. A equipe surpreendeu em 2005 ao chegar em segundo lugar no Campeonato Francês, conquistando uma vaga na competição de clubes mais badalada do mundo: a Liga dos Campeões da Uefa. Foi assim que o Brasil descobriu Rafael Schmitz.

– É importante aproveitar a oportunidade que aparecer. Atualmente, não dá para pensar duas vezes.

Ao contrário da maioria dos jogadores, descoberta por algum empresário estrangeiro que circula pelos quatro cantos do Brasil à procura de novos talentos e dinheiro rápido e fácil, no caso de Rafael, foi seu empresário que resolveu investir e enviou fitas do jogador para diferentes pontos da Europa. Os dirigentes do Lille mostraram interesse e ele foi comprado com um contrato inicial de quatro anos, que já se transformou em nove.

Mas, no início, não foi tão fácil. O zagueiro, na sua primeira temporada, entrou em campo como titular apenas seis vezes; na temporada seguinte, foram só três. Depois o jogador foi emprestado para o time russo do Krylya Sovetov Samara, no qual fez apenas nove partidas. De volta a Lille, estabeleceu-se na equipe e marcou seu primeiro gol durante a vitória sobre o Nantes, por 3 a 1, que garantiu a classificação da equipe para a Liga dos Campeões da Uefa.

– Acho muito difícil que tivesse no Brasil o que tenho hoje na França. Não me importava estar desconhecido aqui. Sou discreto. Agora, com a Liga dos Campeões, todos me conhecem – argumenta Rafael.

Catarinense de Blumenau, Rafael Schmitz espera conseguir jogar em outro lugar da Europa antes da aposentadoria. Como tem mais quatro anos de contrato, não se mostra ansioso por mudanças e celebra a estabilidade conquistada no Lille. Para ele, o clube lhe oferece a mistura certa entre estabilidade e sucesso. Rafael está de bem com a vida. E pretende continuar assim.

DAS MANCHETES COM O FLAMENGO AO PACATO FEYENOORD DA HOLANDA

Aos 22 anos, André Luís Bahia Santos Viana, o zagueiro André Bahia, deixou o Flamengo, onde começou nas divisões de base, e desembarcou na Holanda para tornar-se o novo reforço do Feyenoord. Acostumado a estar na mídia, jogando em um dos times mais badalados do Brasil, André Bahia não sente falta das manchetes e prefere a calma e a organização da Holanda.

André queria sair do Brasil, mas não esperava que fosse tão rápido. As negociações com o clube holandês começaram quando dirigentes do Feyenoord estiveram assistindo a um Flamengo x Fluminense em busca de um zagueiro canhoto. Foram lá justamente para observar a atuação do jogador e acabaram fechando contrato.

A adaptação não foi difícil, segundo André, salvo pela língua. No início, o jogador também teve que se adaptar atuando no time B. O então treinador, o ex-craque holandês Rudd Gullit, deu preferência a um zagueiro americano que já estava no time. Mas nem isso atrapalhou o bom humor do jogador.

– Até que foi bom porque tive tempo para me adaptar. Quando cheguei ao time principal não fui surpreendido com o estilo diferente. Nessa última temporada, participei de todas as partidas e adeqüei-me ao estilo de jogo, pois aqui o zagueiro também precisa ajudar na armação das jogadas; ele é muito mais participativo.

Carioca do Méier, André Bahia nem pensa em voltar ao Brasil tão cedo para jogar. Se tiver de mudar da Holanda, será para algum país vizinho. O zagueiro, que figurou em várias seleções de base, não quer se lembrar dos problemas financeiros que enfrentou no Flamengo, mas lembra com saudades da torcida:

– É incomparável, acompanha o time a qualquer lugar.

Tranqüilo, André sabe que a Holanda não está entre as vitrines de ponta da Europa, mas lembra que o goleiro Gomes e o zagueiro Alex, ambos do PSV Eindhoven, time que revelou Romário para o mundo, já foram convocados para a seleção brasileira, mesmo atuando na Holanda.

– Não fico preocupado em aparecer. Estou preocupado com a minha independência financeira e em fazer um bom trabalho.

REALIZANDO SONHOS GRAÇAS AO FUTEBOL JAPONÊS

O baiano Magno Alves está realizando um grande sonho graças ao futebol, mais especificamente ao Japão. O jogador está construindo uma fundação que leva seu próprio nome, em sua cidade natal, Aporá, a 180 km de Salvador.

– Estou retribuindo tudo o que ganhei com o futebol, principalmente na Ásia, batalhando sozinho, mas espero ter a ajuda de empresas e de amigos para ampliar o meu projeto. Até o final de 2006, a fundação vai estar funcionando e ajudando as pessoas da minha cidade.

Todos os anos, Magno Alves passa as férias em Aporá. Apesar de dizer que nunca passou fome, lembra que faltava aquele trocado para uma Coca-Cola, uma coisinha a mais.

– Agora posso comprar a fábrica da Coca-Cola – diz sorrindo o jogador.

Mas toda essa festa só começou a ser desenhada quando Magno deixou o Rio de Janeiro rumo à Ásia. Até então, chegou a passar um período de sete meses com os salários atrasados no Fluminense, a torcida cobrando resultados, sem que a situação desse sinal de qualquer melhora. Após conquistar o título de Campeão Estadual pelo tricolor carioca, pegou as malas e aceitou a proposta do Chonbuk Hyundai, no qual foi campeão coreano. De lá, seguiu para o Oita Trinita, no Japão, e, depois, para o Gamba Osaka.

– Não esperava ir para a Coréia. Acabei pegando o bonde que surgiu após a Copa de 2002. Era tudo muito diferente, a comida, a cultura, sem falar na língua e na distância do Brasil, tudo contava. Mas me familiarizei bem com tudo e estou feliz.

A independência econômica pesou. Magno Alves juntou dinheiro, comprou a fazenda dos seus sonhos em Aporá e começou a pensar no projeto da Fundação Magno Alves, que vai contar com uma escola e espaços para atividades esportivas. A princípio, o objetivo é atender a quinhentas crianças carentes, principalmente da região rural. Enquanto isso, no Japão, o jogador diz que a mulher e os três filhos já se adaptaram ao país. O único problema do atacante é o frio. Para quem cresceu na região árida do interior da Bahia, dá até para entender a aversão a casacos.

PREPARANDO UMA NOVA FASE NA CORÉIA

Aos 35 anos e com a carreira chegando ao fim, Rogério Pinheiro já pensa no que vai fazer nos próximos anos: quer ser uma espécie de agente VIP, que negocia jogadores direto com os clubes, sem intermediários. Os jogadores de médio porte, que tenham salários entre US$ 15 mil e US$ 20 mil por mês, estilo mercado coreano, são seu alvo.

Por visar ao mercado em que atua desde 2003, Rogério Pinheiro nem gostaria de trocar a Coréia, onde joga pelo Pohang Steelers, por um outro país. O mais importante, segundo ele, é aproveitar tudo o que vem aprendendo, garantir as conexões, o pé-de-meia agora e no futuro.

O jogador estava no Vasco quando recebeu a proposta do clube coreano. Rogério assume que ficou um pouco indeciso, mas foi buscar informações sobre o país que se abriu para o exterior, principalmente após a Copa do Mundo de 2002. E parece que tudo deu certo. Logo na primeira temporada foi eleito o melhor zagueiro da Coréia. Rogério chegou com um contrato de sete meses, e, depois, foi mais um ano, outro ano e mais outro ano. O jogador acha que, se ficar pela Ásia, ainda vai ter pique para atuar por mais três ou quatro temporadas.

Ele revela que, no início, sofreu com a língua e por não falar inglês, que aprendeu também pensando no futuro. No momento, entre trinta e quarenta brasileiros estão jogando na Liga Coreana. Dos 14 times, 12 possuem jogadores brasileiros. A maioria chegou ao país após 2002, quando o mundo descobriu que a Coréia interessava-se por futebol e os coreanos se deram conta de que ter um brasileiro no time não era impossível.

SUPERANDO O FRIO E O ISOLAMENTO

Alexandro da Silva Souza está, desde 2005, enfrentando o frio de Moscou, mas não tem do que reclamar. Com contrato de quatro anos com o CSKA, Dudu Cearense – como Alexandro é conhecido –, de 23 anos, surpreendeu-se com a estrutura que encontrou, em comparação ao antigo clube, o Kashima Reysol, que não brigava pela liderança da Liga Japonesa, tendo uma atuação apagada na competição.

– Já estava adaptado ao Japão, mas a equipe não luta para disputar título, o que fica difícil.

O impacto foi ao chegar em Moscou em pleno mês de março:

– Só via neve, para todo lado. Era muito estranho. As ruas estavam sujas porque o gelo derretia. Comecei mesmo a pensar: aonde eu vim parar?

A dúvida, porém, passou rápido, e Dudu se diz adaptado e tranqüilo. Com isso, conseguiu enfrentar com mais facilidade seu segundo inverno na Rússia.

– Isso aqui é melhor do que se pode imaginar – diz o jogador.

Ao lado de Vágner Love e Daniel Carvalho, que também atuam no CSKA, ele não se sentiu sozinho, superando as dificuldades, até com a língua, pois também contou com a ajuda de um intérprete. O jogador ficou mais feliz quando conseguiu comunicar-se sozinho, ir a um supermercado sem precisar de ninguém.

Dudu confessa que nunca se imaginou jogando na Rússia. Quando pensava em Europa, era em Itália, Espanha, Portugal... Mesmo assim, acredita que está em uma vitrine melhor do que o Japão.

– Você está a poucas horas do restante da Europa. Isso faz com que os contatos estejam também mais perto. Se um dirigente quiser ver você jogar, vai estar aqui em poucas horas. Para o Japão, leva um dia.

Dudu estava no Vitória da Bahia quando surgiu a chance de se transferir para o futebol japonês. Com dívidas, salário baixo e a vontade de ajudar a família, aceitou imediatamente a proposta. A primeira providência foi comprar uma casa melhor para a família. Ele diz que, em 2003, não esperava tantas mudanças. Agora, o objetivo é deixar sua marca na equipe e alcançar algum lugar em outro país da Europa. Uma Itália, segundo Dudu, seria mais do que bem-vinda.

E quem também se vira para espantar o frio que toma conta de boa parte do ano é Rodolfo Dantas Bispo, de 25 anos. O zagueiro chegou à Ucrânia em julho de 2004 para um contrato de cinco anos com o Dínamo de Kiev.

A Ucrânia é um dos chamados mercados emergentes mais lucrativos para os brasileiros, com propostas milionárias e irrecusáveis, como foi o caso de Elano. Mas alguns fatores como o isolamento e o frio dificultam ainda mais o dia-a-dia de quem troca o Brasil pela ex-república soviética.

– É muito difícil conviver com o frio; chegou a fazer -23ºC. É de casa para o treino e, de vez em quando, um restaurante; muito diferente do que estamos acostumados – diz o jogador.

O zagueiro conta com a companhia da esposa para facilitar a adaptação. Apesar do longo contrato, Rodolfo espera trocar a Ucrânia por um outro país europeu em breve. Voltar ao Brasil está fora de cogitação, pelo menos no momento. Já que conseguiu cruzar o Atlântico, quer mostrar seu futebol em vitrines mais interessantes.

A SUÍÇA COMO TRAMPOLIM

Quando o pequeno e desconhecido FC Thun da Suíça chegou à Liga dos Campeões, muitos torcedores e mesmo os jornalistas esportivos europeus não tinham sequer conhecimento da existência do time. Para os jogadores foi um achado. Nesse grupo estão cinco brasileiros que desembarcaram no modesto time suíço na época em que a equipe estava disputando uma vaga na competição.

A chance de disputar a Liga e conseguir mostrar seu futebol para o restante da Europa atraiu os brasileiros para a pequena cidade de Thun, entre eles, o paulista Tiago Henrique Bernardi Consoni. Tiago estava no União São João, do interior de São Paulo, time no qual começou a carreira, quando surgiu a proposta. O jogador atuava no Santos, mas como ficou mais de um ano parado recuperando-se de uma cirurgia, acabou voltando para o União São João, então dono de parte de seu passe. Viajou para a Suíça a fim de conhecer a pequena cidade de Thun, com cerca de sessenta mil habitantes, e acabou assinando contrato de três anos com o clube.

A adaptação ficou mais fácil por causa da presença de dois brasileiros. O grande empecilho era a língua – alemão – e o fato de não falar inglês, o que poderia ser uma alternativa. O time classificou-se para a Liga dos Campeões da Uefa, uma surpresa até mesmo para a equipe, e disputou a primeira fase da competição. O resultado foi positivo: todo mundo soube da existência do clube e de seus jogadores.

– Eu apostei na classificação e nessa chance. Para mim, essa oportunidade está sendo como um trampolim para conquistar um contrato em outro país.

Além de um contrato melhor, se comparado ao do Brasil, e à projeção causada pela Liga, Tiago ainda aponta a oportunidade de viver na Suíça como um ótimo negócio:

– Isso aqui muda a cabeça da gente. A cultura é muito boa. A cidade é pequena e superorganizada e estou tendo oportunidade de falar alemão. Já fui sondado algumas vezes e acho que, em breve, vou receber uma boa proposta – torce Tiago.

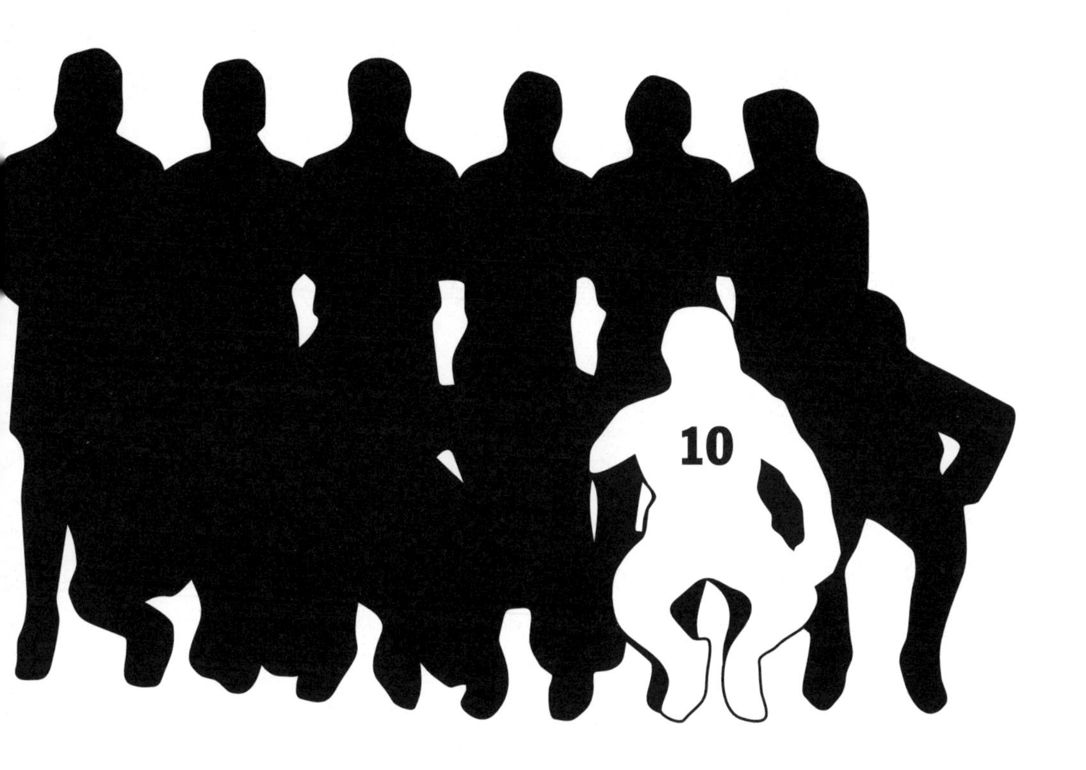

SAIR OU SAIR: EXISTE ALTERNATIVA?

Há quem diga que, na despedida, o pior sobra para quem fica. O êxodo de jogadores, ainda que surja como uma solução de aumento de receita a curto prazo para os clubes brasileiros, parece ter um indiscutível efeito de enfraquecimento técnico e comercial do futebol nacional. E está refletido na queda de público dos campeonatos regionais e nacionais, ainda que diluído em meio a problemas mais graves como a péssima qualidade dos estádios, a ameaça da violência e as deficiências na infra-estrutura de transporte público do país. Ídolos atraem público e o torcedor certamente não deve pular de satisfação quando percebe que o astro de seu time poderá estar do outro lado do Oceano Atlântico, antes mesmo de levantar uma taça. Um fator certamente determinante na redução da média de torcedores que assistem às partidas do Campeonato Brasileiro. Ainda que 2005 tenha apresentado um aumento de público (quase 14 mil pessoas), vale lembrar que, no ano anterior, apenas cerca de nove mil torcedores tinham acompanhado a competição.

– E quem é que pode culpar o torcedor, quando o grande problema é o empobrecimento do futebol brasileiro de maneira vergonhosa, mesmo ganhando tantos títulos? E não há um movimento sequer por parte dos clubes e da CBF para a situação ao menos ser remediada. O pior de tudo é o distanciamento do público de seus ídolos. Aquela coisa de você encontrar os jogadores no supermercado ou mesmo de ter o privilégio de vê-los treinar, pegar um autógrafo já não existe mais. É claro que o torcedor vai continuar apoiando a seleção, mas essa situação de distanciamento também se fará presente na sua identificação com os jogadores – lamenta Fernando Calazans, colunista do jornal O Globo.

Justiça seja feita: o que os clubes podem fazer é pouco, quanto mais diante do fato de mesmo um futebol brasileiro mais organizado e mais lucrativo ainda ser peixe pequeno diante dos tubarões europeus. Os dirigentes brasileiros, entretanto, têm algum poder para ao menos evitar uma perda desenfreada de talentos, sobretudo nos casos de jogadores negociados para o exterior quando recém-chegados à idade adulta.

– A saída dos jogadores para o exterior é inevitável, até por uma questão de globalização. Mesmo a França, um mercado muito mais bem-estruturado que o Brasil, já passa por isso. Os clubes precisam adaptar-se à realidade do mercado – explica Alexandre Loures, diretor de Relações Internacionais do Atlético Paranaense.

O clube paranaense percebeu rápido as tendências do mercado do futebol. Nos últimos anos, negociou uma série de jogadores para o exterior, incluindo o pentacampeão mundial Kleberson, mas teve o cuidado de colocar meramente seu plantel em liquidação. Embora tenha vendido dezenas de jogadores nos últimos anos, o Atlético Paranaense conquistou o Campeonato Brasileiro de 2002, foi vice da edição de 2005 e ainda chegou à final da Taça Libertadores desse mesmo ano, ao mesmo tempo em que usou as receitas geradas pelas vendas de atletas para investir na infra-estrutura do clube. Por conseguinte, os curitibanos têm as finanças controladas e são donos do Arena da Baixada, um dos estádios mais modernos da América do Sul.

– Temos a chance de ao menos segurar os jogadores por mais tempo no time e manter o padrão competitivo. A imprensa diz que somos um mero balcão de negócios, mas estamos numa situação financeira melhor do que a de muitos clubes do eixo Rio–São Paulo – ressalta Loures.

Uma prova disso está na média de público do Arena da Baixada. No último Campeonato Brasileiro girou em torno de 15 mil pessoas, média maior do que a de 13,7 mil pagantes da competição. Sem falar que quase a metade da torcida do Atlético Paranaense é composta de compradores de carnês de ingressos válidos para toda a temporada, como é normalmente feito na Europa.

– Não adianta apenas pensar a curto prazo. O torcedor não irá ao estádio se o time vender seus melhores jogadores e deixar de disputar títulos. Esse é o principal desafio para equipes como o Flamengo.

Numa entrevista em janeiro de 2005, o presidente da CBF, Ricardo Teixeira, mostrou-se despreocupado com o êxodo e disse ver conseqüências positivas para a saída dos jogadores brasileiros:

– O Brasil tem que estar preparado para perder jogadores ou treinadores. Mas será que não poderíamos dizer que nós temos tantos grandes jogadores justamente para suprir a vaga dos que saem? Você pega a seleção da Espanha: o lateral-esquerdo titular na Eurocopa de 2004 não jogava há quatro meses, porque era reserva do Roberto Carlos no Real Madrid. Aqui é exatamente o contrário, temos talentos de sobra. Talvez isso seja financeiramente ruim para o futebol brasileiro e para os campeonatos, mas tecnicamente nos dá chance de descobrir novos valores.

A opinião de que o êxodo é inevitável encontra respaldo entre especialistas em administração esportiva como o inglês Stefan Szymanski, professor da Escola de Administração do Imperial College, uma das universidades mais respeitadas do Reino Unido, país que tem uma das mais avançadas redes de estudos sobre o negócio do futebol. Autor de *Winners and losers* (*Vencedores e perdedores*), livro sobre a indústria do esporte que é considerado uma bíblia por estudantes e empresas, Szymanski afirma que o futebol brasileiro deveria estar mais preocupado em se beneficiar inteligentemente do êxodo em vez de se preocupar demais com a perda de atletas.

– Até porque não adianta brigar com a globalização. A questão para o Brasil não é como parar o comércio de atletas, mas sim como obter mais valor pela transferência de atletas. E isso só vai acontecer com uma valorização do cenário nacional. É preciso que as competições sejam mais interessantes em termos comerciais e que os administradores de clubes e federações trabalhem pela melhoria da estrutura, sobretudo no que diz respeito ao conforto do público nos estádios. Assim, será possível que as saídas de atletas não sejam indiscriminadas e que se possa manter os jogadores de qualidade por mais tempo no país – analisa Szymanski.

Para Szymanski, o Brasil tem potencial de sobra para grandes campeonatos em termos de material humano e do chamado valor de sua marca, mas os benefícios ainda parecem estar se concentrando no prestígio de jogadores que saem e nas atividades da seleção.

– O êxodo é um sinal de que o Brasil exporta jogadores também por influência da imagem de eficiência conquistada em Copas do Mundo. O país há muito tempo, mesmo antes da globalização, já era a marca esportiva mais conhecida e apreciada no mundo. Está faltando usar esse poder para dar um banho de loja no aspecto interno e não vejo o porquê da preocupação com crianças no Rio de Janeiro pedindo camisas do Barcelona para os pais, pois ainda existe muito mais gente no exterior usando camisas do Brasil no lugar de suas próprias seleções – completa o professor.

Carlos Alberto Parreira também desestimula o murro em ponta de faca por acreditar que a vida no exterior tem feito bem aos jogadores de elite do Brasil e por concordar que pouco se pode fazer diante do quadro de problemas econômicos do Brasil, e não apenas os do futebol.

– O Pelé jogou 25 anos no Brasil e outros astros passaram a maior parte de suas carreiras no país, porque era viável economicamente. O Brasil empobreceu e o futebol faz parte disso. Assim, tem-se um quadro no qual um clube como o Flamengo deve R$ 250 milhões e, com a valorização da moeda estrangeira, cada vez temos menos condições de manter os jogadores. A situação é clara e não há outra solução – afirma o treinador.

O ex-jogador Raí compactua com a mesma linha de pensamento do ex-técnico da seleção brasileira. Na opinião do jogador, ao contrário de sua geração, que conseguia fazer carreira no Brasil e depois jogar na Europa, os jovens precisam aproveitar as oportunidades que surgem diante do sucateamento dos campeonatos regionais e do empobrecimento do Brasileirão. Para Raí, que deixou o Brasil com 28 anos rumo ao Paris Saint-Germain, se fosse hoje, a sua carreira teria sido completamente diferente:

– Se fosse hoje, com certeza eu não atuaria no Brasil até os 28 anos. Fica muito difícil resistir às propostas dos europeus e os clubes brasileiros não conseguem mais segurar os jogadores por muito tempo – comenta Raí.

Para o ex-jogador, a abertura dos mercados alternativos, como o Leste Europeu e a Ásia, é mesmo uma boa oportunidade para a maioria.

– Não dá para achar que todos os jogadores vão parar em times de ponta da Europa. Não há espaço para todo mundo – pondera.

Sobre a recuperação do futebol brasileiro, Raí acredita que ainda vai levar tempo, mas os clubes precisam criar estruturas administrativas mais profissionais e tentar fazer com que os torcedores voltem aos estádios.

O pessimismo também toma conta do irmão mais famoso de Raí. Sócrates sempre foi um crítico do futebol do país e considera que só uma transformação completa pode salvar o futebol nacional da falência total.

– O modelo administrativo dos clubes brasileiros está falido. Acho que só quando chegar ao fundo do poço vão pensar em mudanças. Do jeito que está não há nenhuma chance de se conquistar novamente o público e de se manter os jogadores no Brasil por mais tempo.

Por outro lado, o ex-jogador acredita que, se estivesse começando a carreira, não seria seduzido imediatamente pelas propostas tentadoras da Europa.

– Não sou ambicioso assim. Nunca fez parte do meu cotidiano ter ambição econômica.

O ex-goleiro e agora empresário de futebol Gilmar Rinaldi – que tem como carro-chefe de seus clientes o atacante Adriano, da Internazionale de Milão – acha que deixar o Brasil é a melhor opção para os jogadores. E, tal como Raí, acredita que não há espaço para todos nos países mais badalados da Europa e, por isso, os jogadores devem contentar-se com os mercados emergentes.

– Ninguém vai para lugar algum enganado. Os jogadores sabem que não há espaço para todos na Espanha. São poucos os casos de atletas que poderiam estar em mercados melhores, mas foram seduzidos por boas propostas. Hoje, a demanda por jogadores brasileiros é tão grande que ninguém precisa provar mais nada – diz o empresário, referindo-se ao fato de que muitos deles são vendidos antes mesmo de despontar como profissionais em solo brasileiro.

Gilmar é um bom exemplo de como os jogadores da geração Zico, Raí, Sócrates e companhia ainda conseguiam fazer uma boa carreira no Brasil – tanto profissional como financeiramente – e optavam pelo exterior só para completar o ciclo de sucesso. O goleiro só foi para o exterior aos 35 anos, quando trocou o Brasil pelo Japão.

O meio-campo Emerson, do Real Madrid e da seleção brasileira, com passagem pelo futebol italiano e alemão, é um exemplo do que a crise do futebol brasileiro vem fazendo com seus craques. O jogador diz que até gostaria de voltar a jogar no Brasil, mas o seu desejo esbarra na falta de condições financeiras dos clubes.

– Chega uma hora em que a gente fica um pouco cansado da vida no exterior e sente vontade de voltar ao Brasil, de ficar mais perto da família. Eu mesmo estou há oito anos fora. Mas a gente depara com uma coisa simples: voltar para onde? O futebol brasileiro está muito complicado. A gente fica meio exilado – reclama Emerson.

Já o veteraníssimo radialista Luiz Mendes, que cobriu os Mundiais de 1950 a 1998 e é uma testemunha privilegiada da história do futebol brasileiro, mostra preocupação específica com a saída de jovens jogadores, tanto pelos efeitos negativos para os clubes brasileiros como por aquilo que Mendes classifica como uma contaminação causada pelo estilo europeu de jogo.

– O futebol brasileiro é um veio inesgotável de grandes jogadores. Mas claro que, saindo assim aos borbotões, como tem acontecido cada vez mais com a turma jovem, nossos clubes deixam de aproveitar os atletas que formam ou que começam a formar. E tenho notado uma coisa curiosa: os nossos jogadores que estão indo para a Europa andam adquirindo um vício muito grande do futebol europeu: dar o passe em cima do pé. O grande segredo da superioridade do futebol sul-americano não é só a flexibilidade, o jogo de cintura. Não. É também o passe que o nosso jogador dá na frente do que vai receber a bola. Na

Europa, eles dão em cima do pé, o que obriga o jogador a fazer duas jogadas antes de se livrar da bola, enquanto o nosso vai fazer de primeira – opina o radialista.

O ex-craque Falcão, porém, endossa a tese de que uma experiência no exterior pode contribuir para o desenvolvimento dos jogadores:

– O futebol ganhou uma grandeza tão impressionante que todos os países querem ter um campeonato de nível. Não dá para dizer se é errado ou certo que atletas busquem destinos menos tradicionais; a motivação vai depender de cada atleta. Eu, quando saí para a Roma, estava prestes a completar 27 anos e na hora de dar um passo maior na carreira. Na Itália, aprendi a valorizar a parte tática do futebol, além de ter sido uma experiência cultural muito importante. Quando as coisas são bem-feitas, o torcedor do clube que você deixa vai entender. A torcida do Internacional nunca me criticou pela saída, ao contrário do que muito se falou e publicou – conta Falcão.

E é do comedido ex-treinador da seleção que vem um conselho para os jogadores que tomam o rumo do aeroporto. Com a experiência de quem jogou no futebol italiano em um momento em que a ciumeira dos atletas locais andava em alta, Falcão diz que humildade em exagero é tão ruim quanto o estrelismo para o brasileiro recém-chegado.

– Eu me lembro de ter sido apresentado ao elenco da Roma para o início da pré-temporada e, quando perguntei a um dos jogadores como as coisas iam, ele disse: "Tudo bem, agora que você chegou." Era mais como: "Agora temos em quem jogar a responsabilidade quando as coisas derem errado." Respondi na hora que entendia a razão de o Roma, então, estar há mais de quarenta anos sem ganhar títulos. Por mais que o jogador brasileiro tenha de respeitar o clube e os torcedores, não pode abaixar a cabeça – diz Falcão.

Outro gaúcho famoso, o meio-campo Dunga, capitão da seleção nas Copas de 1994 e 1998, e atual técnico da seleção brasileira, acredita que uma transferência para o exterior pode fazer muito bem para o desenvolvimento pessoal dos jogadores.

– A imprensa gosta de dizer que o jogador brasileiro vai para o exterior para desenvolver-se em termos táticos. Mas, na verdade, ele acaba aprendendo muito mais a ter responsabilidade. Aqui no Brasil, qualquer jogador acima da média pensa que ele pode ter mais privilégio do que os outros e, muitas vezes, o treinador faz vista grossa. Mas lá fora, se você não joga para o time, você perde a vaga.

O que parece ser tão impressionante quanto o êxodo é o fato de o Brasil continuar produzindo jogadores de qualidade, capazes de encantar e motivar desde debates grandiosos na mídia às rodinhas de discussão em mesas de bar. Ainda que o privilégio de vê-los ao vivo, não do outro lado do oceano, seja cada vez mais efêmero e raro.

T É C N I C O S

Não é algo tão antigo como a saída de atletas, mas a presença de treinadores brasileiros no exterior nem de longe é recente, por maior que tenha sido a celeuma causada no início de 2005, quando Vanderlei Luxemburgo assumiu o todo-poderoso Real Madrid. Técnicos e profissionais como preparadores físicos e até massagistas há pelo menos quatro décadas têm se habituado a ganhar o pão de cada dia longe do Brasil. Um sinal de reconhecimento da eficiência de quem, mesmo sem entrar em campo, tem sua participação no sucesso do futebol verde-e-amarelo. Claro que não se trata de uma invasão nas proporções da empreendida pelos jogadores. Grandes clubes e seleções ainda olham com desconfiança para os profissionais brasileiros. No entanto, sinais óbvios de uma mudança de mentalidade têm sido dados nos últimos tempos. A começar pelo fato de que havia cinco treinadores brasileiros no comando de seleções que disputaram o Mundial da Alemanha – além de Carlos Alberto Parreira, marcaram presença Zico (Japão), Luiz Felipe Scolari, o Felipão (Portugal), Alexandre Guimarães (Costa Rica) e Marcos Paquetá (Arábia Saudita) – no maior contingente por nacionalidades da competição.

Scolari, aliás, por pouco não chegou à Alemanha como o símbolo do reconhecimento absoluto da superioridade da escola brasileira. Dois meses antes do início do Mundial, o treinador recebeu uma proposta para assumir o comando da seleção da Inglaterra, o país dos inventores do futebol, e as negociações só azedaram diante da afobação dos dirigentes ingleses em tentar anunciar seu nome, por mais que o brasileiro ressaltasse ainda estar sob contrato com a Federação Portuguesa de Futebol e que ingleses e portugueses poderiam se cruzar na Copa de 2006. No entanto, até Felipão vir publicamente desfazer a história, a mídia inglesa discutiu à exaustão a possível contratação do que seria apenas o segundo treinador estrangeiro a dirigir sua seleção (o primeiro era o então ocupante do cargo, o sueco Sven-Goran Eriksson). Muito do debate se resumiu a como os jogadores ingleses, sempre tão mimados, reagiriam ao pulso firme do brasileiro. Ou às dificuldades que "Big Phil", cujo domínio da língua inglesa ainda é básico, teria para se comunicar com os jogadores.

Mas houve quem se preocupasse com as questões mais revelantes. E um belo exemplo foi o de Simon Clifford, um ex-professor de Educação Física, hoje responsável por uma rede de centenas de escolas na Inglaterra e no restante do mundo, em que se tenta ensinar o jeito brasileiro de jogar – e para quem tal tipo de abordagem é fundamental para criar gerações futuras de jogadores ingleses realmente capazes de ajudar o futebol do país a arrumar companhia para seu único título internacional: a Copa do Mundo de 1966. Clifford, que ficou mais conhecido no Brasil em 2004 ao levar Sócrates para uma exibição no Gaforth Town, time da nona divisão inglesa, do qual é proprietário, defendeu uma eventual ida de Felipão como um sinal de vida para o esporte do país, além de criticar o bairrismo de treinadores ingleses como Howard Wilkinson, que haviam se mostrado para lá de aborrecidos com a possível contratação de um estrangeiro.

– Há dez anos venho batendo de frente com a FA (Football Association, a federação inglesa) e dizendo que não temos somente de admirar os jogadores brasileiros, mas também os trabalhos dos profissionais por trás do sucesso dos Ronaldinhos da vida. Estive no Brasil várias vezes e vi como os treinadores de lá trabalham muito melhor do que os ingleses. Precisamos de alguém como o Scolari porque ele não é apenas um vencedor, mas porque terá pulso para controlar o estrelismo de jogadores como David Beckham, por exemplo – afirma Clifford.

De certo modo, Scolari faz coro. Acredita que a vida de corda bamba dos treinadores brasileiros pode ajudar na tarefa de lidar com a pressão do cargo numa eventual aventura no exterior, sobretudo nos mercados mais competitivos. Especialmente por conta da maior diversidade de competições.

– Nossos treinadores têm grande capacidade e qualidade. No Brasil, a exigência é muito grande, ao passo que, na Europa, ela se divide mais: lá, os times disputam não apenas o título, mas vagas em competições como a Liga dos Campeões, em que um terceiro lugar pode valer uma renovação de contrato. No Brasil, quem não for campeão está morto. Mas esse ambiente competitivo é uma grande vantagem para se chegar à Europa – diz Scolari.

Felipão também faz questão de ressaltar o trabalho dos preparadores físicos brasileiros:

– São os melhores do mundo. Os atletas no Brasil jogam oitenta partidas por ano e os preparadores começam a trabalhar no dia 19 de janeiro, com apenas 15 dias de férias.

A trajetória de Scolari em Portugal é um exemplo, sobretudo, para uma nação mais acostumada a dissabores que a alegrias no futebol. Mas ainda que tenha brilhado ao se transformar no primeiro treinador de fora do Velho Mundo a chegar a uma final de Campeonato Europeu de Seleções de 2004, Felipão não conseguiu repetir o melhor resultado lusitano em Copas do Mundo. A honra ainda é de Oto Glória, que, em 1966, dirigiu a equipe terceira colocada no Mundial da Inglaterra. Nos anos 1960, muito antes de Luxemburgo sequer vestir o terno e assumir a carreira de treinador, Paulo Amaral teve uma breve passagem pela poderosa Juventus de Turim.

Mas o *boom* teve início mesmo nos anos 1970, quando o Oriente Médio abriu as portas para os brasileiros. O precursor, Mário Jorge Lobo Zagallo, chegou ao Kuwait para comandar a seleção do país em 1976, deixando o cargo em 1978. Coincidentemente, a dobradinha da última Copa do Mundo teve início no Kuwait, só que de forma inversa. No Oriente Médio, Carlos Alberto Parreira chegou como segundo homem, levado pelo próprio Zagallo. Quando Zagallo deixou o cargo, foi a vez de Parreira assumir o comando da seleção do Kuwait, onde ficou até 1982, conseguindo a proeza de levar o país para a Copa do Mundo.

Daí por diante começou a ser comum ver brasileiros comandando seleções de outros países. Evaristo Macedo estava à frente da seleção iraquiana em 1986, durante a Copa do México. A dupla Parreira e Zagallo voltou à atividade no comando da seleção dos Emirados Árabes, que chegou à Copa do Mundo de 1990. Em 1994, foi a vez de Candinho levar mais uma seleção do Oriente Médio a uma Copa do Mundo, a da Arábia Saudita.

Em clubes, o eldorado foi o Japão, mercado aberto a partir da década de 1990 e que se revelou quase tão promissor para treinadores como para jogadores. Zico foi o grande destaque. Chegou como jogador, fez história, virou ídolo e depois se tranformou em técnico do Kashima Antlers, clube pelo qual jogou e se aposentou. Depois do Kashima foi parar na seleção japonesa, logo após a Copa do Mundo de 2002.

O Brasil vem mantendo constante presença nas Copas do Mundo sem ser com a camisa verde-e-amarela. O primeiro treinador a enfrentar a seleção brasileira como treinador adversário numa Copa do Mundo foi Oto Glória, na vitória portuguesa por 3 a 1 que eliminou o Brasil do Mundial de 1966. Quatro anos mais tarde, o craque Didi estava no banco de uma seleção peruana que caiu por 4 a 2 frente à mágica seleção de 1970. Mas apenas um indivíduo até hoje passou pelo chamado aperto duplo...

GUIMARÃES, O PIONEIRO

Alexandre Guimarães já tinha entrado para o livro dos recordes em 1990, na Copa da Itália, ao se tornar o primeiro brasileiro a enfrentar a seleção da pátria original num Mundial. Jogando pela Costa Rica, perdeu por um apertado 1 a 0, cortesia de um gol contra do zagueiro Montero. O destino de Guimarães, porém, parecia entrelaçado com o da seleção verde-e-amarela: como treinador da Costa Rica, teve o Brasil novamente como adversário, dessa vez no Mundial de 2002, com uma vitória de 5 a 2 para a seleção de Luiz Felipe Scolari. Guimarães, que também comandou a Costa Rica no Mundial da Alemanha, pode falar com autoridade absoluta sobre a sensação de enfrentar o país de origem:

– O Brasil acaba sempre aparecendo, não é? Em 1990, senti uma emoção esquisita, não tanto no momento de entrar em campo, mas durante a execução dos hinos. Moro na Costa Rica há 31 anos, desde que meu pai foi enviado ao país pela Organização Pan-americana de Saúde para ajudar na luta contra a malária. Tenho uma vida feita e filhos aqui. Muitas coisas me unem ao país, mas me lembro bem de onde foi cortado meu cordão umbilical – explica Guimarães, que se naturalizou costarriquenho em 1985 e vive no país desde os 11 anos.

PAQUETÁ E O DESAFIO SAUDITA

Na Copa do Mundo um dos cinco brasileiros que dirigiram uma seleção foi o carioca Marcos César Dias de Castro, o Marcos Paquetá. Aos 47 anos, o treinador da seleção da Arábia Saudita já conhece o mundo árabe desde 1988, quando chegou aos Emirados para dirigir por dois anos a equipe do Al Shabab. Paquetá, que ganhou o apelido por ter nascido na ilha de mesmo nome, na Baía de Guanabara, assume que errou muito logo ao chegar ao Oriente

Médio, mas que as lições serviram como base para organizar a equipe saudita para a Copa do Mundo de 2006.

– Na Arábia Saudita não tem política. É religião e futebol. O peso é grande. Tudo é canalizado para o futebol – explica o técnico.

Paquetá assumiu em janeiro de 2006 e tem um contrato de dois anos. Assim, vai ter a chance de dirigir a equipe em outras competições como a Copa da Ásia e a Copa do Golfo. O grande desafio, segundo o treinador, é profissionalizar o time. Jogadores que treinam pouco ou que não treinam, outros que dividem o tempo entre o futebol e uma outra profissão, sem contar as diferenças culturais e a visão basicamente amadora do esporte.

SCOLARI E A DIVERSIDADE DE HINOS

Uma das anedotas contadas pelos ingleses durante os rumores da ida de Luiz Felipe Scolari para a seleção inglesa girava em torno do comportamento do treinador numa eventual partida com o Brasil. Pois, para muitos observadores neutros, a visão de Felipão celebrando feito um louco o gol de Deco, que deu a Portugal uma rara vitória sobre o Brasil, em 2003, na estréia de ambos pela seleção lusa, foi um espetáculo à parte.

Mas Felipão é o primeiro a desmentir qualquer exagero em sua passionalidade. Apesar de poder ser visto cantando o hino de Portugal em competições oficiais, o que surpreende a muitos, o treinador credita sua atitude ao profissionalismo com que exerce o ofício:

– Enquanto não enfrento a seleção brasileira, sou seu primeiro torcedor do Brasil. Nunca vou esquecer o que vivi com a equipe de 2002. Mas se um dia nos cruzarmos, o Brasil para mim não existirá, não terei vínculo. Vou dominar essa situação no peito normalmente.

A exportação de técnicos dificilmente se transformará em êxodo, mas pode-se imaginar um cenário em que o futebol globalizado terá menores resistências aos métodos estrangeiros, sobretudo nos países em que a chamada cultura do futebol local ainda se ressente de um maior intercâmbio. Muitas das futuras oportunidades vão depender também da preparação dos treinadores verde-e-amarelos, especialmente em termos culturais. O sucesso de profissionais holandeses, por exemplo, deve-se a uma formação em que o conhecimento de línguas estrangeiras é percebido como uma ferramenta de sucesso, não uma eventual exigência contratual.

A tendência, porém, é um reconhecimento maior do valor do profissional brasileiro. E as mesmas vantagens de custo que têm se mostrado tão tentadoras no caso dos atletas poderão também servir de impulso para esse novo produto do futebol verde-e-amarelo. Ainda mais nesses tempos de supervalorização de esquemas táticos.

NOTA

As entrevistas dos jogadores Denílson, do Al Nasr, Marcos Senna, do Villarreal, e Robinho, do Real Madrid, foram concedidas à repórter Anelise Infante.

REFERÊNCIAS BIBLIOGRÁFICAS

NAPOLEÃO, Antônio Carlos; ASSAF Roberto. *Seleção brasileira – 90 anos 1914–2004*. 1.ed. Rio de Janeiro: Mauad, 2004.

"ARSENAL Chase Brazil's 6,5 m Ed. Boy". *Daily Mirror*, 28.6.2000.

"FOOTLOSE". *The Economist*, 20.1.2005.

"DRAMA e glória dos jogadores brasileiros no exterior". *Jornal do Brasil*, 9.9.1974.

"No ano do penta, Brasil vê mercado externo diminuir". *Folha de S. Paulo*, 23.2.2003.

"VENDAS reforçam potencial do talento daqui nos campos de lá". *Gazeta Mercantil*, 30.8.2005.

OUTRAS FONTES

Arquivo – Gazeta Esportiva On-Line.

Site da Uefa – Ficha dos clubes e dos jogadores.

Media Guide da Copa das Confederações de 2005.

Relatório de transferências internacionais da CBF entre 2002 e 2005.

Relatório de retornos ao Brasil de 2005.

A Editora Senac Rio publica livros nas áreas de gastronomia, *design*, administração, moda, responsabilidade social, educação, *marketing*, beleza, saúde, cultura, comunicação, entre outras.

Visite o *site* www.rj.senac.br/editora, escolha os títulos de sua preferência e boa leitura. Fique ligado nos nossos próximos lançamentos! À venda nas melhores livrarias do país.

Editora Senac Rio
Tel.: (21) 2240-2045
Fax: (21) 2240-9656
comercial.editora@rj.senac.br

Editora Senac São Paulo
Tel.: (21) 2187-4450
Fax: (21) 2187-4486
editora@sp.senac.br

Disque Senac: (21) 4002-2002

Este livro foi composto por ô de casa em
Century Schoolbook e Franklin Gothic Condensed
e impresso em papel off set 90g/m²
para a Editora Senac Rio, em dezembro de 2006.